OCÉAN GLACIAL ARCTIQUE

Détroit de Béring

MER DE SIBÉRIE ORIENTALE

Terre du Nord

Archipel de la Nouvelle-Sibérie

Détroit Vilkitski

MER DE LAPTEV

Détroit de Laptev

Monts de la Kolyma

Podeba 3147 ▲

Kolyma

▲ Volcan Klioutchev 4750

Kamtchatka

OCÉAN

ntorama 37 ▲

Plateau de

Monts de Verkhoïansk

Lena

MER D'OKHOTSK

Îles Kouriles

40°

Sibérie centrale

Détroit des Tatars

Ile de Sakhaline

PACIFIQUE

Monts ▲ 2412 Stanovoï

Angara

Monts Iablonovyi

Amour

150°

Selenga

Lac Baïkal

Vladivostok

MER DU JAPON

JAPON

MONGOLIE

CORÉE DU NORD

CORÉE DU SUD

MER JAUNE

C H I N E

MER DE CHINE ORIENTALE

120°

180°

80°

MER

L'U.R.S.S.

L'U.R.S.S.

- *Le pays : le plus vaste de la planète.* *À travers le temps : les grands bouleversements de l'histoire, l'U.R.S.S aujourd'hui.* *Villes et régions : contrastes et diversités des régions et de leur population.* *Encyclopédie : l'U.R.S.S. de A à Z.*

LIBRAIRIE LAROUSSE
17, rue du Montparnasse – 75006 Paris

MONDE ET VOYAGES

Les textes ont été rédigés par :
Monique Slodzian, Charles Urje-
wicz, Tamara Kondratieva, Maitres
de conférences à l'Institut des langues et civilisations orientales, Paris.

Révision des textes :
Monique Slodzian, Maitre de conférences à l'Institut des langues et des
civilisations orientales, Paris.

URSS

Coordination éditoriale
Nicole Grumbach, Hélène Gouby

Documentation iconographique
Viviane Seroussi

Cartographie
Gilles Alkan et CART

Mise en page
Studio Longuépée

Conception graphique
Frédérique Longuépée

Direction artistique
Henri Serres-Cousiné

Fabrication
Janine Mille

La photo de la p. 2 est de Tripelon - Jarry - C.E.D.R.I.

Nos couvertures

*Féeries des couleurs et des formes, coupoles et
toits du Kremlin et de Saint-Basile à Moscou.*
Phot. G. Sioen – C.E.D.R.I.

*Durant l'hiver, les bergers turkmènes se
coiffent d'un chaud bonnet en laine de mouton.*
Phot. Garanger.

SOMMAIRE

coup de cœur

Paraphrasant le vieux dicton latin sur le temps, on pourrait affirmer que « l'U.R.S.S. change et nous changeons avec elle ». Depuis quatre ans, la société soviétique est en effet en pleine mutation. Son nouveau leader, Mikhaïl Gorbatchev, voudrait qu'elle se fonde sur les valeurs universelles pour se moderniser et pour créer sa forme spécifique de démocratie. L'Occident, ne pouvant pas refuser les « bonnes nouvelles » en provenance de Moscou, a fini par se convaincre que ce changement interne en U.R.S.S. représentait une chance historique pour nous tous. Du coup, les échanges, à tous les niveaux, entre les Occidentaux et les Soviétiques ont connu un bond en avant prodigieux.

Je me sens particulièrement bien placé pour apprécier cette évolution. À l'âge de quinze ans, en 1939, seul, j'ai fui en U.R.S.S. pour échapper à l'Allemagne nazie qui venait d'engloutir ma Pologne natale. La nouvelle patrie ne m'a pas réservé, du côté officiel, un accueil particulièrement chaleureux, m'assignant à résidence dans des lieux franchement inhospitaliers. Mais, bien que ballotté d'un bout à l'autre du pays, de la Sibérie occidentale à Rostov-sur-le-Don, capitale de la Russie du Sud, puis à Kislovodsk, « perle de Caucase », et en Transcaucasie, je ne me sentais nulle part vraiment perdu. D'autres jeunes, Russes, Cosaques, Arméniens, me tenaient compagnie, et, à cet âge, on devient tout de suite amis. Dans un tel climat d'entraide et de sympathie réciproque, on tend tout naturellement à partager des souvenirs, des impressions et même des secrets sur les rêves d'amour avec d'inaccessibles stars du cinéma américain... Or, là, en raison de la coupure entre l'U.R.S.S. d'alors et le reste du monde, je butais contre un mur. Personne ne connaissait « ma » Greta Garbo, ni même Marlene Dietrich, seconde sur la liste de mes élues. J'avais beau raconter leurs films et décrire leurs divines qualités, mes amis n'arrivaient pas, à partir de mon témoignage, à recréer leur image. D'autres frustrations m'attendaient à propos de la littérature occidentale qui n'avait pas été traduite chez eux et, à plus forte raison, à propos de la peinture contemporaine, Picasso étant encore moins connu sur les rives du Don que Greta Garbo. Ne pas pouvoir communiquer sur tous ces thèmes constituait une barrière permanente, même si l'amitié qui me liait à mes compagnons soviétiques reposait sur des fondements solides. En effet, nous avions bien des soucis communs en cette période de guerre, si cruelle à l'Est.

J'ai déjà eu l'occasion de le raconter dans un livre sur mes tribulations à travers la Russie (1). Or, si celui-ci a été généralement bien reçu, un critique nota néanmoins avec stupeur que « l'auteur semblait avoir rencontré en Russie beaucoup de gens sympathiques ». Un peu incrédule, comme naguère mes amis de là-bas au sujet de la beauté de Greta Garbo, il ne récusait pas mon témoignage, mais le trouvait peu vraisemblable. Son scepticisme prouvait à quel point la coupure entre les deux blocs avait fait des ravages également chez nous. À force d'entendre uniquement des récriminations entre les gouvernements, privés de contact avec les gens, certains, à l'instar du critique de mon livre, s'étaient convaincus que tous les Soviétiques étaient des fanatiques, parlaient une langue de bois et ne pouvaient décidément être qu'antipathiques. Mais, dans le monde réel, tous les « bons » n'appartiennent jamais à un camp et tous les « mauvais » à l'autre. En ce qui concerne « le fanatisme » des Soviétiques, une expérience de sept ans de vie chez eux m'a enseigné qu'il fallait le considérer avec beaucoup de nuances et de corrections.

Officiellement, ce pays était censé être endoctriné et politisé à outrance. Mais, en pratique, mes amis Soviétiques n'avaient aucun moyen de faire de la politique, c'est-à-dire de s'occuper de leurs affaires collectives. Sachant que la *Pravda*, source de toutes les vérités, se distinguait surtout par la communication tardive des nouvelles, y compris sur l'évolution de la guerre, ils l'utilisaient principalement pour en rouler des cigarettes de *makhorka* (tabac grossier). Cela leur paraissait tellement naturel qu'ils ne voyaient là rien de sacrilège : « Le numéro d'aujourd'hui était vraiment bon ; je l'ai fumé avec grand plaisir », disaient-ils. Le hasard voulait qu'ils fussent pour la plupart des Cosaques du Don, reconnaissant volontiers que, sans la révolution d'octobre 1917, ils n'auraient été, comme leurs ancêtres, que des soldats à vie ou des paysans fort peu instruits et non pas diplômés des grandes écoles de Rostov, voire de Moscou. Indiscutablement, la révolution avait fait entrer en scène une masse de gens qui, dans l'ancienne Russie, végétait dans l'ignorance, n'aspirant même pas au rôle de citoyens. Mais, comme le proclame à présent un historien en vue, « ce peuple qui avait fait une grande révolution a été privé ensuite par le Parti de tout pouvoir et de toute propriété ». Empêchés ainsi de décider quoi que ce soit, même au niveau local, « mes » Soviétiques participaient certes aux rites politiques, mais pour l'essentiel ils ne pensaient qu'à leurs affaires, en se débrouillant d'une manière très individualiste.

En allant aujourd'hui en U.R.S.S., le voyageur occidental n'y trouvera ni l'ancien moujik avec son samovar et ses bottes ni les commissaires en veste de cuir de l'époque héroïque qui suivit la révolution. Il rencontrera plus simplement des femmes et des hommes qui essayent de mettre de l'ordre dans leur passé pour améliorer leur vie et pour mieux connaître le monde qui les entoure. D'une région à l'autre, parfois même d'une ville à l'autre, cette démarche prend des formes différentes, pour la bonne raison que l'U.R.S.S. est composé de républiques fortement différenciées et dont chacune tend à renouer avec son passé et ses traditions culturelles propres. « De mon temps », les Soviétiques n'avaient pas la possibilité d'exprimer de telles aspirations, ni à vrai dire de voyager à l'intérieur du pays. J'avais parfois l'impression, grâce à mes tribulations, de le connaître mieux que mes amis de Rostov-sur-le-Don qui écoutaient bouche bée mes récits sur l'époustouflante beauté de la grande chaîne du Caucase, pourtant toute proche, ou des délices méridionales de la Géorgie et de l'Arménie. Je ne me souviens pas si nous parlions alors des animosités entre les nations de Transcaucasie, connues vaguement par ouï-dire et qui, quarante ans plus tard, allaient produire des affrontements fratricides entre Azéris et Arméniens. Mais, même chez nous, sur les rives du Don paisible, les préjugés entre Russes, Cosaques, Ukrainiens, Juifs ou Arméniens ne manquaient pas et nous savions donc que la fameuse « question nationale » était loin d'être résolue...

Russophone depuis l'enfance, je dois à cette langue la facilité que j'eus à communiquer avec « mes » Russes de naguère et, à présent, mes contacts avec la génération de la « perestroïka » gorbatchévienne. Mais je n'aime pas pour autant qu'on m'accole l'étiquette de russophile. Je me suis toujours efforcé de conserver une approche sereine de la réalité soviétique, refusant de l'idéaliser ou de la démoniser, et je ne crois pas avoir une préférence pour les Russes ou pour quelque autre nation. L'U.R.S.S. ne se prétend plus un pays modèle pour le reste du monde ; elle ne demande qu'à faire partie de la communauté mondiale, avec tout ce qu'elle est en mesure d'y apporter et sans cacher ses points faibles. Bref, elle s'ouvre à nous, et je suis convaincu que nous avons intérêt à mieux la connaître, en raison de son histoire, qui a marqué notre siècle, de ses trésors culturels et de ses richesses humaines. Ce n'est pas pour rien qu'elle constitue le plus vaste pays de la planète et que sa contribution à notre patrimoine culturel est immense.

K.S. Karol

(1) *Solik ; tribulations d'un jeune Polonais dans la Russie en guerre,* Fayard, Paris, 1983.

LE PAYS

Présentation du pays

Sur deux continents

Avec une superficie de 22,4 millions de kilomètres carrés, soit un sixième des terres, l'U.R.S.S. est le plus vaste pays du monde, loin devant le Canada et la Chine, sa voisine, qui n'atteint pas les 10 millions de kilomètres carrés. Si 75 p. 100 de son territoire se déploie en Asie, à portée de main de l'Amérique, le petit quart non asiatique représente à lui seul plus de la moitié de l'Europe. Il s'étend en Europe de l'océan Glacial arctique jusqu'à la crête du Caucase et, d'est en ouest, de l'Oural jusqu'à la Baltique. Dans ces immenses plaines où, des Carpates à l'Oural, aucune montagne ne coupe l'horizon, les vents s'engouffrent parfois jusqu'aux régions méridionales (à Odessa, le thermomètre peut descendre en hiver jusqu'à – 20 °C).

Entre le Caucase et l'Oural s'étire une grande plaine, l'ancienne plaine scythe, qui comprend la Moldavie, l'Ukraine, la Crimée et les steppes de la Volga. L'Oural, qui, en tatar, signifie « ceinture », marque, du nord au sud, la frontière entre l'Europe et l'Asie sur une étendue de 3 200 kilomètres. Du

CI-DESSUS : Lac de haute montagne, alimenté par l'un des nombreux glaciers du Pamir, grand centre de l'alpinisme soviétique.

CI-DESSOUS : Dans les steppes du Kazakhstan poussent des céréales.

côté européen, il s'incline vers la mer Caspienne, laquelle a une rive en Europe et l'autre en Asie. La Sibérie occidentale s'étire de l'Oural à l'Ienisseï. Au-delà, les plateaux de Sibérie centrale offrent une succession de lourdes croupes, bordées à la périphérie méridionale par de hautes montagnes.

Au sud-ouest, entre la mer Noire et la mer Caspienne, le Caucase borde l'U.R.S.S. d'une crinière de glace (les massifs du Kazbek et de l'Elbrouz sont aussi élevés que le mont Blanc). Ces hautes chaînes escarpées séparent l'U.R.S.S. de la Turquie et de l'Iran. À l'est de la Caspienne, les chaînes de l'Asie

PAGES PRÉCÉDENTES : Dans la région du lac Baïkal, la taïga est une immense réserve de conifères. Iris et asters fleurissent après la fonte des neiges.

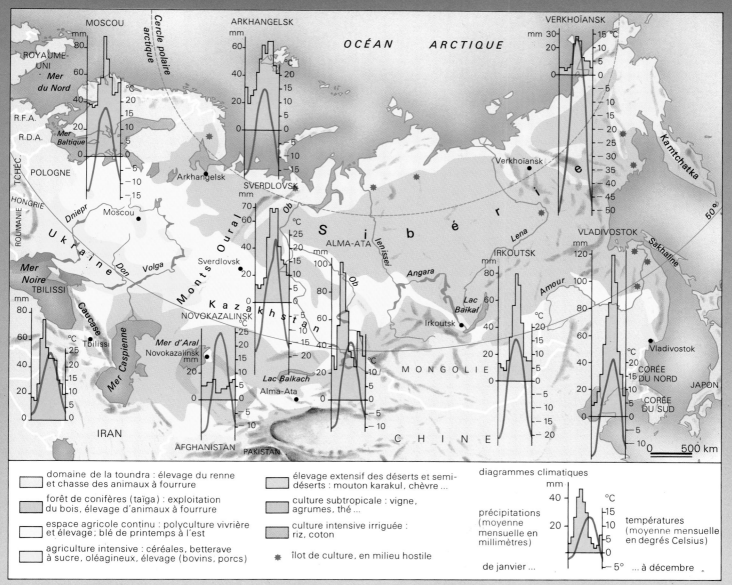

La carte montre les diagrammes climatiques de différentes villes de l'U.R.S.S. :

MOSCOU, ARKHANGELSK, VERKHOÏANSK, SVERDLOVSK, ALMA-ATA, IRKOUTSK, VLADIVOSTOK, TBILISSI, NOVOKAZALINSK.

Légende :

- domaine de la toundra : élevage du renne et chasse des animaux à fourrure
- forêt de conifères (taïga) : exploitation du bois, élevage d'animaux à fourrure
- espace agricole continu : polyculture vivrière et élevage ; blé de printemps à l'est
- agriculture intensive : céréales, betterave à sucre, oléagineux, élevage (bovins, porcs)
- élevage extensif des déserts et semi-déserts : mouton karakul, chèvre ...
- culture subtropicale : vigne, agrumes, thé ...
- culture intensive irriguée : riz, coton
- ✳ îlot de culture, en milieu hostile

diagrammes climatiques

précipitations (moyenne mensuelle en millimètres)

températures (moyenne mensuelle en degrés Celsius)

de janvier ... ... à décembre

Carte de la végétation et du climat de l'U.R.S.S.

centrale culminent au Pamir, avec le pic du Communisme (7 495 m) et se prolongent vers l'est par les monts Tian-Chan, Altaï, Tcherski et enfin la chaîne volcanique de la bordure pacifique. Au milieu de ces hautes montagnes, le lac Baïkal étend ses eaux limpides sur 640 kilomètres.

Des glaces de l'Arctique aux sables arides du Sud

En bordure de l'océan Glacial arctique, l'U.R.S.S. se déploie sur des millions de kilomètres carrés de sols gelés, sur lesquels pousse un tapis végétal discontinu,

la toundra. Pendant 2 à 3 mois d'été seulement, le sol dégèle en surface, offrant aux hommes et aux rennes de la boue, d'où surgissent des touffes de mousses et de lichens. Les bouleaux nains et les arbustes à airelles apparaissent progressivement au sud du 70e degré de latitude nord. La toundra boisée surgit alors, peuplée de lemmings, de renards blancs et de rennes.

La taïga, qui s'étend du bassin de la Baltique à la mer d'Okhotsk, représente près du tiers de la superficie de l'U.R.S.S. Royaume des grandes forêts de conifères, de cèdres et d'épicéas de Sibérie, c'est aussi une réserve animale d'une

CI-DESSUS : On rencontre *Panthera tigris altaïca* en Daourie, région montagneuse du Transbaïkal, en Sibérie.

CI-DESSOUS : Le désert de Pendjikent dans le sud du Tadjikistan.

CI-DESSOUS : Village traditionnel sur le Baïkal, spécialisé dans l'exploitation forestière ; le bois servira notamment à la construction de bateaux.

exceptionnelle richesse (ours bruns, loups, gloutons, zibelines, chevreuils, lièvres, écureuils...), dont l'hôte le plus indésirable est sûrement le moustique.

Les chutes de neige y sont très abondantes et, au printemps, la fonte imprègne d'eau la terre. Les grandes surfaces déboisées servent aux cultures et à l'élevage.

Sur une large bande allant des Carpates à l'Altaï, la steppe alterne avec les forêts de chênes et de bouleaux. La partie occidentale est cultivée à 80 p. 100 : ses terres noires sont parmi les plus fertiles du monde et l'agriculture y est très développée.

La région des steppes est placée sous un climat continental de plus en plus marqué vers l'est, avec de longs hivers enneigés suivis d'étés courts et chauds, accompagnés de sécheresse qui caractérisent le climat sibérien (les écarts de température entre hiver et été atteignent parfois 60 °C).

Les steppes d'Asie centrale sont très différentes de la steppe boisée de Sibérie : on y trouve tous les extrêmes de chaleur et de froid. Seuls le chameau, le cheval kirghiz et la brebis à queue grasse résistent à ce climat aride.

Les plaines du sud-ouest de l'Asie centrale (Turkménistan et Tadjikistan), le sud de la Crimée et la Transcaucasie occidentale connaissent un climat subtropical. Grâce à l'irrigation, on y cultive le thé et les agrumes. La faune y est très riche. On y rencontre cobras, hyènes, léopards et chats sauvages.

Les zones désertiques correspondent aux pointes extrêmes du climat continental, au sud des steppes (Kazakhstan). La forte érosion et la salinité des sols ne

laissent pousser que des broussailles. La vigne, le riz et le coton sont cultivés sur les terres irriguées et dans les oasis. Serpents, lézards et antilopes peuplent les sables.

C'est autour du golfe de Finlande, où l'influence océanique est très sensible, que l'hiver russe est le plus doux (on cultive les céréales en Carélie). Le nord-est et le centre de la partie européenne subissent de longs hivers, froids et enneigés.

Les reliefs montagneux présentent des climats très contrastés. Dans le Caucase, par exemple, où se concentre, selon l'orientation et l'altitude, une grande variété de climats, on pratique sur le versant méridional des cultures méditerranéennes : amandiers, dattiers, vigne, oliviers et même théiers.

Un quadrillage de fleuves gigantesques

Les fleuves de l'U.R.S.S. évoquent des arbres immenses qui se ramifient sur l'ensemble du territoire.

La Volga, aux soixante-dix embouchures sur la mer Caspienne, est le plus long fleuve d'Europe (3 690 km). Elle est navigable de 200 à 260 jours par an, après le dégel. Par un important réseau

de canaux, elle est reliée à la Baltique, à la mer Blanche et, au sud, à la mer Noire et à la mer d'Azov par le canal Volga-Don. Le Don, le Dniepr et le Dniestr comptent parmi les plus grands cours d'eau de l'Europe.

À travers les immenses plaines de Sibérie coulent l'Ob (le plus long fleuve d'U.R.S.S.), l'Ienisseï, la Lena et l'Amour, qui tous dépassent les 4 000 kilomètres. Fleuves lents et majestueux, ils sont, pendant plusieurs mois, pris par les glaces qu'ils charrient ensuite dans des débâcles impressionnantes. Leurs rives étaient autrefois le royaume de la zibeline, de l'hermine et du renard bleu. On chassait l'ours blanc à l'embouchure de la Lena et de l'Ienisseï. Mais les trappeurs de l'Oural, les pêcheurs de l'Amour et les pasteurs kirghiz ont laissé la place à d'autres aventures, et de grandes villes industrielles se sont développées aux abords de ces fleuves, comme Krasnoïarsk sur l'Ienisseï et Tomsk sur l'Ob.

L'U.R.S.S. est baignée par douze mers et possède quatorze lacs parmi les plus grands du monde : le Baïkal (31 500 km²), les lacs Ladoga et Onega, représentent à eux trois près de 90 p. 100 des eaux lacustres du pays. Le lac Issyk-Koul, au Kirghizistan, est le second lac alpin du monde.

LE LAC BAÏKAL, MERVEILLE DU MONDE

 Le lac le plus profond de la planète est peut-être le plus ancien : 30 millions d'années. Ses eaux, d'une transparence et d'une pureté inégalables, appartiennent à un système écologique admirable et abritent plus d'un millier d'espèces animales, dont le phoque et le veau marin. Il gèle de la fin de novembre au début de mai. Au moment de la débâcle, des chaos de glace s'accumulent sur ses rives. Vers la mi-juin, des myriades de moucherons se forment autour de ces glaces fondues, et l'on peut voir l'ours brun surgir des profondeurs de la taïga : il vient déguster ces savoureux moucherons et se gorger de baies dans les buissons. La construction du Transsibérien, parvenu au lac Baïkal en 1904, a cependant entraîné la destruction d'une grande zone de forêts, et celle du B.-A.M. (Baïkal-Amour Magistral), entre 1970 et 1980, a accéléré l'urbanisation de la région. Irkoutsk, un des grands centres économiques de la Sibérie orientale, se trouve à 60 kilomètres du Baïkal, sur le fleuve Angara, qui irrigue une belle plaine fertile. Sa population atteint presque un million d'habitants. Le tourisme représente un danger plus grand encore, car la variété et la magnificence des paysages attirent les foules considérables. Toutefois, dès le début du siècle, les grands découvreurs de la Sibérie orientale mirent sur pied le projet d'une grande réserve naturelle, qui vit le jour en 1916. La disparition rapide de la zibeline — victime des trappeurs — avait ému l'opinion scientifique et c'est à la suite de la « mission zibeline » que fut créée la réserve Bargouzinski.

Une prise de conscience écologique

Afin d'améliorer les rendements agricoles de l'Ukraine et d'irriguer certaines régions d'Asie centrale, dans la tradition des grands travaux staliniens inspirés par une logique productiviste, des barrages colossaux et des travaux d'irrigation ont parfois été réalisés sans discernement. Ainsi, le barrage de Kara-Bogaz isole-t-il complètement la baie de la mer Caspienne ; en Ukraine, l'irrigation de terres par les eaux salées du lac Sassyk a entraîné la ruine de l'agriculture dans une partie de la région. À la suite de la pollution du lac Baïkal par une gigantesque usine de cellulose est né un puissant mouvement écologiste, qui vient d'obtenir le retrait d'une série de projets visant à détourner partiellement les fleuves du Nord et de la Sibérie vers les régions méridionales. Une partie du cours de la Volga devait être déviée vers le Don et le Kouban, une partie des eaux du Danube vers le Dniepr, et douze barrages en cascade sur l'Ienisseï auraient mis en péril l'équilibre climatique de la mer de Kara et de toute la région. La bataille de l'eau est devenue un des grands enjeux de la vie politique.

13

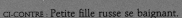

CI-CONTRE : *Petite fille russe se baignant.*

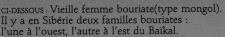
CI-DESSOUS : *Vieille femme bouriate(type mongol). Il y a en Sibérie deux familles bouriates : l'une à l'ouest, l'autre à l'est du Baïkal.*

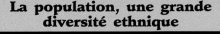
La population, une grande diversité ethnique

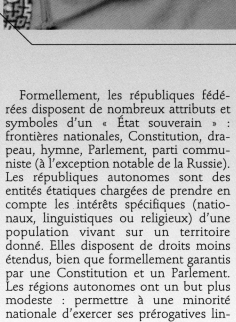

Une mosaïque de peuples

De combien de peuples et d'ethnies l'U.R.S.S. est-elle composée ? 194, indiquent les résultats du recensement de 1926 ; 60, proclame Staline en 1936 ; 101, affirment les données publiées à l'issue du recencement de 1979. Le recensement qui s'est déroulé en janvier 1989 risque de réserver quelques surprises : en permettant le retour —*glasnost* aidant — des nationalités « oubliées » ; en rendant leur importance numérique à des peuples longtemps écrasés par plus puissant que soi ; en donnant, enfin, un tableau plus précis et plus honnête de ce pays, dont les 288 millions d'habitants (au 1er janvier 1989) vivent dans les 15 républiques fédérées qui forment l'Union des républiques socialistes soviétiques. 20 républiques autonomes et 18 régions autonomes renforcent l'armature de l'édifice étatique et national soviétique, dont la construction commença en 1922.

Formellement, les républiques fédérées disposent de nombreux attributs et symboles d'un « État souverain » : frontières nationales, Constitution, drapeau, hymne, Parlement, parti communiste (à l'exception notable de la Russie). Les républiques autonomes sont des entités étatiques chargées de prendre en compte les intérêts spécifiques (nationaux, linguistiques ou religieux) d'une population vivant sur un territoire donné. Elles disposent de droits moins étendus, bien que formellement garantis par une Constitution et un Parlement. Les régions autonomes ont un but plus modeste : permettre à une minorité nationale d'exercer ses prérogatives lin-

guistiques et culturelles sur un territoire qui peut être éloigné de sa région ou de sa république d'origine.

Séparées souvent par des milliers de kilomètres, les républiques appartiennent à des univers culturels, linguistiques et religieux différents. Des décennies de vie commune, l'affirmation répétée par les autorités de valeurs partagées n'ont pas profondément marqué les comportements des populations, en particulier sur le plan démographique.

Alors que la population globale de l'U.R.S.S. a augmenté en moyenne de 35 p. 100 de 1959 à 1987 (à peine 24 p. 100 dans la République de Russie), elle a plus que doublé dans les républi-

densités de population (habitants par km²)

- moins de 1
- de 1 à 10
- de 10 à 25
- 25 à 50
- plus de 50

villes

- 250 000 à 500 000 habitants
- 500 000 à 1 million d'habitants
- de 1 à 5 millions d'habitants
- plus de 5 millions d'habitants

Nationalités

Lettons de 1 à plus de 100 millions d'individus

Komis moins d'1 million d'individus

Carte des nationalités.

ques musulmanes d'Ouzbékistan et de Tadjikistan. En 1986, l'Estonie a connu un accroissement naturel de 4 p. 1 000, la Russie de 6,8 (2,7 à Moscou), tandis qu'en Asie centrale, où la moyenne atteint 30 p. 1 000, il est fréquent que l'accroissement naturel des régions rurales dépasse les 40 pour 1 000. La population urbaine s'est très rapidement développée au cours des dernières années. Elle a été particulièrement forte dans les régions dont les ressources minières ont été exploitées par le gouvernement. L'immensité du territoire soviétique permettrait cet accroissement de population, même si les deux tiers du pays sont pratiquement inhabitables :

l'Asie centrale est confrontée à un chômage croissant (environ 20 p. 100 de la population autochtone).

Les migrations intérieures

Mais Ouzbeks et Tadjiks refusent toute solution migratoire, même vers une Sibérie dont les grands chantiers offrent des salaires bien supérieurs à la moyenne soviétique, et où Russes, Ukrainiens ou Biélorusses s'installent de moins en moins. Il faut dire que cette région au climat rude, pauvre en équipements collectifs et culturels, mal approvisionnée, n'est pas très séduisante. Certaines régions, en revanche, exercent une

forte attirance sur les jeunes ruraux venus de Russie centrale ou de Biélorussie. Les républiques baltes, dont le développement, dans la période de l'après-guerre, n'a tenu compte ni des ressources en main-d'œuvre ni de l'environnement, ont vu leur population autochtone baisser régulièrement. En 1979, la population autochtone de la Lettonie ne représente plus que 53,7 p. 100 (95 p. 100 en 1945, 62 p. 100 en 1959) de la population totale, contre 33 p. 100 de Russes. Riga, la capitale, est une ville où les Russes sont désormais majoritaires. La plus petite des républiques soviétiques, l'Estonie, est à peine mieux lotie. Cette « russification rampante » inquiète Estoniens et Lettons.

Elle entretient une tension permanente entre autochtones et « migrants », incite les républiques à mieux contrôler leur développement et l'immigration.

Tensions au Sud

Les « républiques du Sud », Caucase et Asie centrale, connaissent un processus totalement différent. La « nationalisation » s'y opère rapidement, sous l'effet de phénomènes différents selon les régions. En Asie centrale, c'est le dynamisme démographique des populations autochtones qui creuse rapidement l'écart avec les populations d'origine européenne, les Russes en particulier. En Ouzbékistan, par exemple, la part de la nationalité titulaire est passée de 62 p. 100 en 1959 à 68,7 p. 100 en 1979, tandis que celle des Russes a baissé (de 13,5 p. 100 à 10,8 p. 100), malgré une forte immigration. Cette population d'immigrés, essentiellement urbaine, occupe des emplois industriels et qualifiés. En Transcaucasie, le phénomène de « nationalisation » a d'autres causes. Les flux migratoires touchent non seulement les Russes, dont le nombre ne cesse de baisser depuis les années 1950, mais aussi les populations originaires de la région. Malgré des tensions ethniques aiguës, en particulier entre Arméniens et Azéris, il faut plutôt en chercher les causes dans une économie trop peu dynamique pour attirer, voire fixer, une population.

Aujourd'hui, les problèmes démographiques sont au centre des préoccupations gouvernementales. En Asie centrale, ils sont directement liés aux problèmes du développement. Ailleurs, les tensions ethniques et nationales doivent être évitées, sans pour autant sacrifier les intérêts de l'Union. Le gouvernement doit concilier les revendications linguistiques des nationalités et le maintien d'une langue de communication, le russe.

CI-CONTRE : Bébé sibérien de la région d'Irkoutsk, emmailloté dans des tissus locaux.

CI-DESSOUS : Jeune couple de Boukhara, où se côtoient toutes les ethnies d'Asie centrale.

PAGE CI-CONTRE : Le renne est l'animal des régions boréales. Sa viande est savoureuse et, avec son lait, les Lapons font des fromages.

CI-DESSOUS, À GAUCHE : Fêtes de la Révolution sur la place Rouge, à Moscou.

CI-DESSOUS : Banquet traditionnel arménien. La grande famille reste le cadre fondamental de la vie en Arménie.

CI-CONTRE : L'élevage de poulets dans un sovkhoze. Comme la viande de boucherie, la volaille est trop rare à l'étalage des magasins soviétiques.

CI-DESSOUS : Plantation de thé en bordure de la mer Noire (Dagomys).Les meilleures variétés sont réservées à l'exportation.

Forces et faiblesses de l'économie

L'énoncé des richesses naturelles de ce pays-continent fait rêver. Son sous-sol, notamment dans la partie asiatique de son territoire, recèle en effet une part considérable des réserves de la planète. L'U.R.S.S. est le premier producteur de gaz naturel (environ 40 p. 100 de la production mondiale), de pétrole (20 p. 100) et de fer (30 p. 100), deuxième producteur d'or (17 p. 100), de platine (28 p. 100) et de tungstène (22 p. 100). Ses ressources hydrauliques sont impressionnantes. La puissance de ses fleuves, en particulier en Sibérie, alimente d'immenses complexes hydro-électriques, qui comptent parmi les tout premiers au monde : la production de la centrale de Krasnoïarsk, sur l'Ienisseï, suffirait à assurer les besoins de la Grèce : celle du barrage de Bratsk, sur l'Angara, comblerait les exigences du Portugal.

Troupeaux de rennes du Grand Nord, thé et mandarines de Géorgie, coton et raisin de table d'Asie centrale, froment des terres noires, betterave et lin d'Ukraine... l'agriculture soviétique est d'une extraordinaire diversité. En tête du peloton des producteurs de blé (17 p. 100 de la producion mondiale), elle occupe la deuxième place pour le

sucre (8 p. 100) et les fibres de coton (16 p. 100), la troisième pour les céréales (10 p. 100) et la quatrième pour le thé (7 p. 100). Elle parvient pourtant difficilement à répondre aux exigences de la population. Elle doit, certes, affronter de très dures conditions naturelles, mais la rudesse du climat sibérien, l'irrigation difficile des grands espaces désertiques d'Asie centrale et la faible fertilité des terres de la Russie centrale ne suffisent pas à expliquer les médiocres performances du secteur agricole, en particulier dans l'élevage. Malgré les progrès réalisés au cours des années 1950 et 1960, ce pays, considéré au début du XXᵉ siècle comme le « grenier à blé » de l'Europe, doit aujourd'hui importer d'importantes quantités de céréales des États-Unis et du Canada.

L'émergence d'une économie « privatisée »

À partir de 1929, la paysannerie soviétique est entraînée contre son gré dans un impitoyable processus de collectivisation. Agriculteurs et éleveurs tentent de résister, le plus souvent en abattant leurs bêtes. Mais ils sont bientôt soumis à une véritable terreur : par millions, les paysans aisés — les « koulaks » — sont chassés de leurs terres, déportés en Sibérie ou en Asie centrale. En 1932-1933, une terrible famine s'abat sur les zones rurales. Le cannibalisme fait son apparition en Ukraine, au Kazakhstan et dans certaines régions de Russie, où les morts se comptent par millions.

L'« agriculture socialiste » a chassé la petite exploitation familiale. Structurée

18

CI-DESSUS : Battage du grain en Géorgie,
où subsistent encore
des méthodes de travail ancestrales.

CI-DESSOUS : Le coton, l'« or blanc »
de l'Asie centrale est
aujourd'hui une monoculture contestée.

dans un cadre rigide, elle est partagée en deux grands secteurs : les fermes collectives, les *kolkhozes*, forme très particulière et ambiguë de coopératives dont les membres ne sont pas propriétaires des terres ; les fermes d'État, les *sovkhozes*, organisées comme des entreprises industrielles. Ces exploitations agricoles, souvent paralysées par les lourdeurs d'un gigantisme démesuré, ont longtemps été victimes d'un système centralisateur et interventionniste. Elles sont confrontées à de très nombreuses difficultés matérielles et psychologiques : approvisionnement en machines et en engrais insuffisant et inadapté aux besoins réels, exode rural massif et vieillissement d'une population peu motivée, dont les conditions de vie sont parfois très difficiles. Leur productivité est faible. Mais les

19

CI-DESSOUS : Les docks de
ce port estonien témoignent de la modernité
et du dynamisme des Républiques baltes.

CI-DESSOUS, EN BAS : Les usines Mig
fabriquent les avions de chasse
de l'armée de l'air soviétique.

CI-DESSUS : À Leningrad, à la foire
de la fourrure, les plus belles peaux de Sibérie
(zibeline, castor, renard argenté) sont
offertes aux clients venus du monde entier.
CI-CONTRE : Derricks d'une cité
pétrolière sur pilotis à Bakou, en Azerbaïdjan.

du premier satellite artificiel, le Spoutnik 1, le 4 octobre 1957, le premier vol
habité d'un vaisseau spatial, le *Vostok 1*,
le 12 avril 1961, qui vit le cosmonaute
Iouri Gagarine entrer dans la légende, ne
doivent pourtant pas faire illusion.
L'économie soviétique traverse de graves
difficultés. Confronté à un important
déficit budgétaire (12 p. 100 du budget
de l'État), sur lequel pèsent de trop
lourdes dépenses militaires, cet énorme
ensemble, mal adapté aux mutations,
souffre d'importants déséquilibres
structurels.

La priorité aux industries lourdes

Dépendant étroitement des directives du
plan et de la tutelle des ministères
fédéraux, l'économie a longtemps été
soumise à la loi d'airain des « mangeurs
d'acier » : ces secteurs, dans la mécanique par exemple, voyaient leur production rémunérée non sur des critères
commerciaux ou techniques, mais
d'après des éléments comptables dans
lesquels le *poids* jouait un rôle déterminant. Les différentes réformes économiques lancées au cours des trente dernières années se sont toutes soldées par
des échecs après s'être heurtées à l'hostilité ou à l'inertie de l'appareil. Secteur
le plus performant de l'économie, l'industrie d'armement ne s'est pas conten-
tée de mobiliser les cerveaux les plus

lopins individuels, concédés aux kolko-
ziens dans les années qui suivirent la
collectivisation, afin d'améliorer l'approvisionnement des villes, assurent près de
30 p. 100 de la production sur moins de
5 p. 100 des terres. Aujourd'hui, les
autorités tentent d'insuffler aux campagnes dynamisme et esprit d'entreprise.
Au cours d'un véritable processus de
privatisation, inscrit dans la loi en 1988,
les familles rurales se voient offrir des
contrats de location de longue durée
(vingt ans, voire cinquante). L'enjeu est
de taille : il s'agit de faire renaître une
« paysannerie authentique ». Mais ce
processus, conséquence directe de la

perestroïka, se heurte à de nombreuses
résistances : administration jalouse de
son pouvoir et de ses prérogatives ;
méfiance et apathie d'une paysannerie
brisée par une histoire tragique et près
de soixante ans de soumission. D'autres
facteurs freinent cette mutation, jugée
vitale par Mikhaïl Gorbatchev : la rigidité
d'une industrie rétive au changement,
des transports insuffisants et des mécanismes de marché mal maîtrisés.
  Puissance militaire majeure, détentrice
d'un énorme arsenal nucléaire, présente
sur tous les océans, l'U.R.S.S. est fière
de son rôle pionnier et de ses nombreux
succès dans l'espace. La mise en orbite

brillants. Ayant réussi à acquérir une très large autonomie, elle a dû développer une authentique structure parallèle afin de pallier les insuffisances du secteur civil, qui ne bénéficie naturellement pas des retombées de la recherche militaire, en particulier spatiale.

Il y a encore vingt ans, l'U.R.S.S. prévoyait de rattraper et de dépasser les États-Unis au début des années 80. Aujourd'hui, bien que leader dans la production d'acier (162 millions de tonnes), de fonte ou de tracteurs (567 000, contre 93 000 aux États-Unis), elle risque à terme de se voir disputer sa position de brillant second par le dynamique Japon.

Les retards de l'industrie soviétique, que les responsables politiques pensaient pouvoir combler aisément au début des années 60, s'accentuent malgré les potentialités exceptionnelles de ce pays immense. Plus grave, la plupart des

LA PLANIFICATION SOVIÉTIQUE

■ Depuis 1928, le développement de l'U.R.S.S. dépend de plans quinquennaux, déterminés par les plus hautes autorités du parti et de l'État. Dans l'esprit des dirigeants soviétiques, le plan est l'expression la plus achevée de l'exploitation rationnelle, « scientifique », des ressources humaines et naturelles du pays. Le plan stalinien ne se contente pas de définir les grandes orientations. Il décide souvent jusqu'aux plus petits détails de la planification de la région ou de la république. Les deux premiers plans étaient chargés de doter l'U.R.S.S. de la base industrielle indispensable à sa défense et à ses ambitions de grande puissance. Malgré les résultats impressionnants affichés par les statistiques, en particulier au cours des deux premiers plans quinquennaux (production d'acier multipliée par 4,5 ; électricité par 7), leur efficacité est aujourd'hui sérieusement mise en doute en U.R.S.S. même. De très nombreux historiens et économistes font état du coût extrêmement élevé de ce processus qui a tant marqué le fonctionnement du système économique soviétique.

rendez-vous avec les grandes mutations technologiques et scientifiques, en particulier la révolution informatique, ont été manqués. Une entreprise sur six est déficitaire. L'industrie automobile, en dépit d'une importante assistance occidentale (Fiat), piétine avec une production de 1,3 million de voitures de tourisme (France : 3 millions).

Transports, exportations, centrales nucléaires : des points cruciaux

Les transports et les communications, malgré les indéniables progrès réalisés, en particulier dans le transport aérien, sont très largement insuffisants pour le bon fonctionnement de l'économie. Le réseau routier est peu développé (970 000 kilomètres, contre 6 millions aux États-Unis et 880 000 au Canada) et d'une qualité médiocre. Les chemins de fer sont surchargés, le transport des

marchandises s'y effectue dans des conditions difficiles sur un réseau d'une trop faible densité (145 000 kilomètres, contre 296 000 aux États-Unis et 120 000 au Canada). Avec 1 poste téléphonique privé pour 14 habitants (1 pour 1,7 habitant en France), l'amélioration du réseau téléphonique est devenue une priorité que l'immensité du pays suffit à expliquer.

La production de la plupart des biens de consommation est insuffisante. De piètre qualité, ils sont distribués par un appareil commercial peu motivé et archaïque, dont les pratiques accentuent singulièrement les phénomènes d'une pénurie de plus en plus mal acceptée par la population. Mieux que tout autre indicateur, le commerce extérieur de l'U.R.S.S. reflète les difficultés d'une industrie peu performante et peu compétitive. Les exportations soviétiques sont constituées essentiellement de matières premières qui, tel le pétrole, sont exposées aux fluctuations des cours mondiaux. La part des machines y est faible (15 p. 100), bien en deçà de la moyenne des pays industrialisés (environ 40 p. 100).

La catastrophe de Tchernobyl, au printemps 1986, a révélé des manquements graves dans le respect des règles de sécurité régissant les centrales nucléaires soviétiques, jeté le doute sur la qualité et la fiabilité de la technologie qui

avait présidé à leur construction. Mais ses conséquences sont avant tout politiques et économiques. Tandis que l'État débloquait en urgence des milliards de roubles afin de faire face aux premiers effets d'un désastre dont il est encore difficile d'estimer le coût total, une population en état de choc prenait conscience de l'étendue et de l'urgence des problèmes auxquels devait faire face le pays. Ces dernières années, la part du nucléaire était en constante et rapide augmentation : en 1987, elle représentait 11 p. 100 de l'énergie électrique totale produite. Aujourd'hui, la peur s'est substituée à une confiance auparavant aveugle. Manifestations et campagnes de presse réclament la fermeture des centrales construites sur des zones ou des terrains dangereux, en Ukraine, en Lituanie et en Arménie, tandis que les autorités recherchent l'aide occidentale afin d'améliorer la sécurité de la filière soviétique.

L'évolution actuelle, une économie plus ouverte

Pierre angulaire du changement, la réforme économique est aujourd'hui l'un des éléments fondamentaux de la perestroïka. Pour Mikhaïl Gorbatchev et son équipe, l'heure n'est plus aux changements mineurs. Il ne s'agit plus d'aménager le système en place, mais de le remplacer par d'autres mécanismes. Mo-

difier de façon radicale les structures ne suffit pas, il faut également changer des comportements modelés par des décennies de pratiques autoritaires. C'est seulement à ce prix que le pays pourra surmonter la crise et rejoindre le peloton de tête des pays industrialisés. Mais la tâche n'est pas aisée dans un ensemble soumis à des contraintes spatiales, économiques et culturelles uniques. Comment concilier les intérêts de régions aux climats aussi opposés que ceux de la Sibérie et du Caucase ? Comment rapprocher des modes de vie et de pensée aussi différents que ceux d'un habitant de Tallin et d'un habitant d'une oasis d'Asie centrale ? Comment concilier l'intérêt général sans porter atteinte à l'environnement ou aux équilibres ethniques ? En effet, la diversité nationale de l'U.R.S.S. ne s'exprime pas uniquement par une mosaïque de langues et de cultures. Dans un pays où l'Inde côtoierait la Suède, il est nécessaire de définir de nouveaux équilibres et une juste répartition des richesses, alors que certaines républiques, telle l'Estonie, exigent une large autonomie économique.

CI-CONTRE : Bassins et passerelles des grands magasins du Goum, à Moscou, construits au XIXᵉ siècle.

CI-DESSUS : Caissière dans une quincaillerie : le boulier reste l'instrument indispensable du commerce soviétique.

La réforme de l'entreprise, qui prévoit, outre l'élection des directeurs par le personnel à la suite d'un véritable concours, l'autonomie comptable, déçoit tous ceux qui avaient cru y voir les prémices d'un bouleversement plus profond. En même temps, les ministères fédéraux acceptent mal le moindre empiètement sur leurs prérogatives, et tentent d'imposer leur pouvoir sur une industrie qui traverse une délicate phase de reconversion.

La réforme des prix, en particulier des prix de gros, piétine. Or, il n'est pas de réforme sans cette mutation fondamentale. Le rouble, maintenu artificiellement à un taux trop élevé, est coupé du marché monétaire : sa convertibilité n'est prévue, au mieux, que pour la fin du siècle. Le secteur privé a pris un départ difficile et se heurte à l'hostilité d'une population qui lui reproche des prix trop élevés sur fond de pénurie.

Malgré les difficultés, l'heure est à l'ouverture sur le monde. Le monopole du commerce extérieur, en vigueur depuis 1928, a été brisé. Les autorités misent sur la création de sociétés mixtes,

LA PLACE DE L'U.R.S.S. DANS LE MONDE

■ Puissance planétaire, l'U.R.S.S. est présente sur quatre continents. De l'Europe centrale à l'Indochine, et des Caraïbes aux Balkans, elle se trouve à la tête d'un ensemble, le camp socialiste, qui rassemble des pays aussi divers que la Hongrie et le Laos, Cuba et la Bulgarie. Leader incontesté du pacte de Varsovie, l'organisation militaire des pays socialistes d'Europe, elle joue un rôle déterminant dans le Comecon, le « marché commun » des démocraties populaires (60 p. 100 de ses échanges extérieurs). Les années Brejnev furent marquées par une tension armée avec la Chine, des interventions militaires en Tchécoslovaquie et en Afghanistan. Malgré les accords d'Helsinki (1977), les relations internationales étaient dominées par une atmosphère d'affrontements et de course aux armements. L'U.R.S.S. tentait d'utiliser toutes les failles du dispositif occidental, s'engageant sur des terrains de plus en plus éloignés de ses frontières (Afrique, Amérique centrale). Aujourd'hui, la politique extérieure soviétique — effet direct de la perestroïka ou conséquence de la crise économique ? — est bouleversée par une remise en cause souvent radicale de certaines de ses grandes orientations.

Les troupes soviétiques ont achevé, le 15 février 1989, d'évacuer l'Afghanistan, après huit années d'une guerre destructrice et impopulaire. Les relations soviéto-américaines sont entrées dans une phase constructive concrétisée

par les accords sur les missiles nucléaires intermédiaires à longue portée (LRINF). Tandis que Mikhaïl Gorbatchev lance l'idée d'une « Maison commune européenne », certaines démocraties populaires, la Pologne et la Hongrie, s'engagent dans des réformes radicales, sous l'œil apparemment bienveillant du « grand frère » soviétique. En Asie, un dialogue actif a été établi avec une Chine dont l'expérience, en particulier dans le domaine économique, fascine. L'allié vietnamien est fortement incité à évacuer le Cambodge, tandis que la Corée du Nord doit faire face à l'offensive réussie du « frère ennemi » du Sud. Après l'accord sur la Namibie, le désengagement soviétique touche également l'Afrique, par Cubains interposés. En Amérique centrale, le Nicaragua doit tenir compte de cette nouvelle donne et tente d'aménager ses relations avec les États-Unis. La poudrière moyen-orientale n'échappe pas à cet aggiornamento. L'U.R.S.S. est décidée à jouer un rôle actif dans le processus de paix : soutien des modérés de l'O.L.P., reprise du dialogue avec Israël, normalisation des relations avec l'Égypte.

Aujourd'hui, l'image d'un monde systématiquement hostile n'est plus de mise dans les médias soviétiques. L'heure est à la détente et à la coopération, voire au partenariat ; en particulier avec le monde occidental, dont on admire ouvertement une technique et un savoir-faire indispensables au développement du pays.

tandis que les entreprises soviétiques ont dorénavant la possibilité de traiter directement avec l'étranger. Des prêts très importants sont accordés par l'Occident

afin de permettre à l'U.R.S.S. non seulement d'importer les produits de consommation qui lui font défaut mais aussi de moderniser son appareil industriel.

À
TRAVERS
LE TEMPS

CI-DESSUS : Serment du prince Oleg, l'un des premiers princes kiéviens, devant Peroun, dieu païen, *Chronique des temps passés* (enluminure).

CI-CONTRE, EN BAS : Saints Cyrille et Méthode. Icône représentant les créateurs de l'alphabet russe, dit cyrillique, musée de Sofia (Bulgarie).

Des origines à la Russie des princes

Plus de cent peuples différents vivent aujourd'hui en U.R.S.S. Chacun d'eux a eu son histoire personnelle, avant d'être intégré, plus ou moins contre son gré, à la Russie ou à l'Union soviétique. C'est le peuple russe qui a bâti cet empire immense, par annexions et conquêtes successives. C'est pourquoi l'histoire de l'Union soviétique se confond avec l'histoire du peuple russe.

Un défilé de peuples asiatiques

Les Russes sont des Slaves et appartiennent à la grande communauté indo-européenne. Ils se sont détachés du groupe ethnique balto-slave au milieu du premier millénaire avant Jésus-Christ.

Grâce aux fouilles archéologiques et aux textes laissés par les historiens romains et grecs, nous savons que les Slaves anciens étaient installés dans le bassin de la Vistule. Pendant une vingtaine de siècles, de 1000 ans avant Jésus-Christ à 1000 ans après, le territoire qu'occupent les Slaves est dominé par divers peuples qui se succèdent : des Germains, mais surtout des Asiatiques. Les Slaves résistent à ces invasions successives. Autour du Ve siècle de notre ère, ils commencent à essaimer vers le nord, vers l'est et vers le sud. En quelque trois siècles, ils occupent ainsi des positions qu'ils vont conserver pratiquement jusqu'à nos jours.

L'État kiévien, le premier État russe

C'est à la fin du IXe siècle, à partir de la ville fortifiée de Kiev, que se constitue le premier État russe, l'État kiévien. Qui sont ses fondateurs ? Les sources, contradictoires et peu nombreuses, ne permettent pas de trancher une polémique vieille de deux cents ans.

On sait de façon sûre que l'origine de l'État kiévien est étroitement liée à un groupe connu sous le nom de « Rous ». Les Rous sont-ils simplement des Slaves qui vivaient près de la rivière Rous, dans la région de Kiev ? Ou sont-ils des Scandinaves, des Varègues ? Depuis le VIIIe siècle, en effet, les Varègues sont en contact étroit avec les Slaves : ils traversent leur territoire pour commercer avec l'Empire byzantin.

Selon la *Chronique des temps passés*, le seul manuscrit de l'époque, les Varègues seraient même venus aider des Slaves du Nord à gérer leur cité. C'est probablement ainsi que les Varègues Riourik, Oleg et Igor sont devenus les premiers princes de l'État kiévien.

Dès le Xe siècle, l'État kiévien devient florissant. Installé sur le Dniepr et ses affluents, il se trouve sur une voie commerciale active. En fait, pendant cet âge d'or de la Russie kiévienne, les échanges entre Constantinople et l'Occident se font par la mer Noire, plutôt que par la Méditerranée, alors infestée de pirates.

COMMENT S'ORGANISAIT LE COMMERCE AVEC CONSTANTINOPLE ?

■ Dans l'État kiévien, tous les Slaves que le prince avait soumis devaient payer un tribut en nature : fourrure, miel, cire et esclaves essentiellement. En novembre, le prince et ses serviteurs, la *droujina*, partaient collecter le tribut. Tout l'hiver, ils étaient nourris et logés par les paysans. L'été, ils achetaient à ces paysans des barques, chargeaient le tribut et descendaient le Dniepr jusqu'à Constantinople, où toutes les marchandises étaient vendues. Souvent, des marchands se joignaient à la caravane du prince pour jouir de sa protection pendant le voyage.

La caravane du retour ramenait à Kiev des objets de luxe, du vin et des épices. Cette grande caravane annuelle dirigée vers l'Empire byzantin avait une importance politique et économique primordiale : elle assurait un lien entre les populations du bassin du Dniepr, et elle apportait au prince des revenus réguliers.

PAGES PRÉCÉDENTES : L'emblème de l'U.R.S.S. : la faucille et le marteau ceints d'une gerbe de blé. Le marteau symbolise l'ouvrier, la faucille le paysan.

26

La Russie devient chrétienne

Au IXe siècle, le christianisme fait son apparition en terre slave. Très vite, la nouvelle religion va se répandre : deux moines, Cyrille et Méthode, traduisent les livres saints grecs en dialecte bulgare, que tous les Slaves comprennent. Ils inventent alors un alphabet : l'alphabet cyrillique. Après la conversion d'Olga, l'épouse du prince Igor, son petit-fils Vladimir oblige son peuple à renoncer au paganisme et à adopter le christianisme orthodoxe issu des Grecs de Constantinople.

Vladimir comprend que seule une religion d'État peut unir son peuple, et le lier à l'ensemble du monde chrétien. En 988, il baptise les habitants de Kiev dans l'eau du Dniepr et détruit les idoles païennes.

La Russie kiévienne, en proie à d'incessantes luttes pour le pouvoir, subit, à la fin du XIIe siècle, l'assaut de nouveaux envahisseurs, les Polovtsy. Ils déferlent de l'Asie et coupent les voies d'eau menant à Constantinople. Kiev se transforme en un État morcelé, au commerce déclinant. Ses habitants partent et fondent des villes à travers la steppe et la forêt : Rostov, Souzdal, Vladimir, Moscou. Moscou est mentionnée pour la première fois dans une *Chronique* en 1147, comme une résidence secondaire de Iouri Dolgorouki, prince de Rostov et de Souzdal.

Le temps est venu pour Novgorod, grande ville marchande du Nord-Est, de s'affirmer comme capitale de la Russie du Nord. Mais elle est attaquée sans relâche par les Suédois, les chevaliers Teutoniques allemands, les Lituaniens et les Norvégiens. En 1240, le prince de Novgorod, Alexandre Nevski, réussit à battre les Suédois sur les bords de la Neva, d'où son surnom « Nevski », et à écraser les chevaliers Teutoniques lors de la « bataille de la glace » sur le lac des Tchoudes, en Livonie. Novgorod prospère, Novgorod s'étend, mais Novgorod ne pourra pas jouer le rôle international qui a été celui de Kiev.

Sous le joug des Mongols

En 1240, la situation change radicalement : les Tatars et les Mongols envahissent la Russie. C'est le début de 240 ans de joug mongol.

Les Tatars, ces nomades mongols déjà maîtres d'une grande partie de l'Asie, ne sont pas, comme on le croit souvent, des hordes sauvages poussées par la faim. Ils accomplissent une mission divine confiée à leur khan : établir l'ordre dans l'univers entier. Ils vont dévaster et terrifier la Russie, et la placer sous leur dépendance.

Le pouvoir du khan mongol est absolu. Toute la population russe, à l'exception des gens d'Église, doit payer le tribut, entretenir les relais de poste et fournir un contingent de guerriers : un garçon russe sur dix est conduit de force à la Horde d'Or pour y être élevé comme guerrier.

Les princes russes cherchent tous à obtenir du khan le *iarlyk*, une autorisation écrite pour devenir le souverain de toute la Russie. En 1327, c'est Ivan Kalita, prince de Moscou, qui l'obtient et prend le titre de grand-prince. Moscou va ainsi entrer dans l'histoire.

Les débuts de la Russie tsariste

Au XIVe siècle, Moscou succède à Novgorod à la tête de la Russie et devient la capitale religieuse du pays. C'est là que s'installe, pour toujours, le chef de l'Église russe orthodoxe, le métropolite.

En 1380, le grand-prince de Moscou, Dimitri Donskoï, porte un coup décisif aux Tatars : il remporte la bataille de Koulikovo. Les Tatars, la preuve est faite, ne sont pas invincibles ! En effet, l'Empire mongol est en train de s'effondrer.

POURQUOI ÉPOUSER UNE PRINCESSE BYZANTINE ?

■ En 1453, date à laquelle Constantinople tombe aux mains des Turcs, le grand-prince de Moscou, Ivan III, épousa la princesse Sophie Paléologue, nièce du dernier empereur de Constantinople. Ce mariage, véritable symbole politique, consacra, aux yeux des contemporains, l'idée que le grand-prince moscovite était bien le successeur des empereurs byzantins.

La princesse fit construire au Kremlin le magnifique palais à Facettes. Elle appela des architectes italiens. Fieravanti, notamment, rebâtit les tours du Kremlin en leur donnant un style Renaissance. Sophie changea la mode et introduisit le protocole de la cour byzantine : Ivan III était désormais tenu à l'écart de ses serviteurs comme un être supérieur, que les mortels ne pouvaient plus approcher.

Ivan le Terrible est couronné tsar

L'État moscovite, que le grand-prince Ivan III a commencé à édifier, est renforcé par son neveu Ivan IV, surnommé Ivan le Terrible. En 1547, Ivan le Terrible est, pour la première fois, couronné « tsar », c'est-à-dire « césar ».

Au début de son règne, il refoule définitivement les Tatars qui menacent encore le sol russe. Il développe les arts et les lettres, créant des imprimeries.

Mais, après la mort de sa femme, qu'il adorait, il devient un terrible tyran. Il s'impose par la force, brise dans la terreur la résistance des princes et des boyards, l'aristocratie russe. Pour gouverner, il s'appuie sur la formule : « Deux

PAGE CI-CONTRE : La cathédrale de l'Annonciation (XVe s.) au Kremlin, surmontée de neuf coupoles et célèbre pour ses fresques.

CI-CONTRE : Ivan IV, surnommé Ivan le Terrible, fondateur de l'État russe. Gravure sur bois (XVIe s). Bibliothèque des Arts décoratifs, Paris.

CI-DESSOUS : Bataille d'Orcha (Biélorussie actuelle) en 1514, entre Lituaniens, Polonais et Russes, coup d'arrêt à l'expansion russe vers l'ouest. Peinture anonyme, Musée national, Varsovie.

CI-DESSUS : Ivan IV et sa cour. Vie de saint Serge. Miniature du XVe siècle. Bibliothèque nationale, Paris.

Rome sont tombées. Moscou sera la troisième. Il n'y en aura pas de quatrième. » Il crée alors la première police secrète, l'*opritchnina*, rase Novgorod, tue et torture.

Son empire devient immense. Maintenant que les Tatars ne sont plus dangereux, les marchands russes convoitent les terres qui s'étendent en Asie, de l'autre côté de l'Oural. C'est une formidable réserve de bêtes à fourrure et, peut-être, d'or. Et la conquête de la Sibérie commence. En 1583, le cosaque Yermak s'empare de Sibir, dernier rempart de l'empire mongol. En 1648, le cosaque Dechnev franchit le détroit qui, 80 ans plus tard, s'appellera le détroit de Béring.

Ivan le Terrible ne tarde pas à comprendre comment utiliser ces territoires lointains : il y exile ses opposants.

Le premier Romanov monte sur le trône

Après la mort d'Ivan le Terrible, en 1584, commence une période de crise dynastique, toute en intrigues et coups d'État. C'est le temps des troubles.

L'assemblée nationale (Zemski Sobor) de 1613 élit tsar un Russe, Michel III (1613-1645), fondateur de la dynastie des Romanov, auquel succède le tsar Alexis (1645-1676). Le tsar, propriétaire suprême de toutes les terres, soumet

29

les nobles en leur distribuant des domaines, en échange de services rendus. Du même coup, en 1649, les paysans sont asservis.

Pierre le Grand ouvre son pays sur l'Occident

À la fin du XVIIe siècle, la Russie moscovite a acquis ses caractéristiques nationales : l'autocratie et le servage. C'est un État bien archaïque aux yeux de l'Europe, qui, elle, s'engage dans le siècle des Lumières !

Pierre le Grand, tsar depuis 1682, mais n'exerçant le pouvoir que depuis 1696, s'en rend compte et veut par tous les moyens moderniser son pays. Alors il voyage, souvent incognito, pour se familiariser avec les techniques modernes européennes. En Hollande, il travaille comme charpentier sur un chantier naval. En Angleterre, il assiste à des séances du Parlement. Il apprend 14 métiers, dont celui de marin.

À son retour, avec une intransigeance impitoyable, il ordonne à tous les hommes de se raser la barbe et de s'habiller à l'occidentale, aux jeunes d'aller étudier en Europe, et à tous les nobles de servir l'État dans l'armée, pour la vie ! Avec les centaines de spécialistes qu'il a ramenés de ses voyages, il construit des manufactures, des écoles scientifiques, il lance un journal, crée une véritable armée, introduit le calendrier grégorien utilisé en Occident...

Après une victoire remportée contre la Suède, il obtient pour la première fois un débouché maritime sur la Baltique. Il va pouvoir accomplir son rêve : construire un port et fonder une nouvelle capitale, Saint-Pétersbourg, l'actuelle Leningrad. C'est la première ville russe bâtie tout en pierres. Pierre le Grand est un géant violent, parfois sanguinaire. Aux yeux du peuple et de la noblesse effrayée, il est l'« antéchrist ». N'a-t-il pas fait torturer à mort son propre fils, parce qu'il le soupçonnait de comploter contre lui ? Pourtant, et même si ses réformes restent superficielles, Pierre va

inoculer aux Russes le virus de la modernité.

Catherine II, la tsarine fascinée par la France

Sous le règne d'Élisabeth, fille de Pierre, la modernisation de la Russie s'accélère. Une partie de la noblesse se lance dans les affaires, constituant de grands domaines et créant des centaines de manufactures. Mais à la noblesse « européanisée » s'opposent, plus que jamais, le clergé et la paysannerie hostiles aux réformes.

À la mort d'Élisabeth, en 1762, son neveu Pierre III monte sur le trône. Pierre est marié à une princesse allemande qui ne manque pas d'ambition. Six mois après son accession au trône, il est renversé par un coup d'État, organisé par un des amants de sa femme. Pierre meurt assassiné, et sa femme, Catherine, se fait sacrer impératrice de Russie.

Catherine II est fascinée par la philo-

sophie, les arts et les encyclopédistes français. Elle correspond avec Diderot et Voltaire, achète les tableaux des grands maîtres, et entend gouverner selon les exigences de la raison. Mais, en 1773, une révolte paysanne près de l'Oural, dirigée par le cosaque Pougatchev, qui se fait passer pour Pierre III, la fait changer du tout au tout. Elle mate la révolte, punit de pendaison tous ceux qui l'ont soutenue, et renforce le servage. Au fil du temps, son despotisme s'accroît. Au moment où, en France, tombe la Bastille, Catherine exile en Sibérie

l'écrivain humaniste Radichtchev qui, le premier, avait osé dénoncer les abus du pouvoir autocratique.

À la fin du XVIIIᵉ siècle, la Russie moscovite, dont Ivan le Terrible avait inauguré la politique expansionniste, s'est transformée en un immense empire : il inclut une partie de la Baltique, conquise par Pierre le Grand en 1721, l'Ukraine et Kiev depuis 1653, une partie de la Pologne, la Crimée et le Caucase du Nord, conquis sous Catherine, le bassin de la Volga, soumis par Ivan le Terrible, et la Sibérie.

La Russie du XIXᵉ siècle

Le XIXᵉ siècle s'ouvre sur les guerres napoléoniennes. Après plusieurs chocs violents entre Français et Russes, notamment à Austerlitz en 1805, les Russes sont contraints de signer un accord, le traité de Tilsit, en 1807.

Napoléon entre à Moscou

L'accord franco-russe ne va pas durer très longtemps. Napoléon veut dominer l'Europe. Le tsar Alexandre Iᵉʳ aussi. En juin 1812, Napoléon envahit la Russie. Le 7 septembre, à Borodino, à 120 kilomètres de Moscou, il bat l'armée russe dirigée par le maréchal Koutouzov. Le 14, il entre dans Moscou. Pourtant, les Russes ne se rendent pas. Ils pratiquent la politique de la terre brûlée pour affamer l'armée française. À l'approche de l'hiver, Napoléon est contraint d'abandonner ses positions, et, très affaibli, il entame un retour qui va devenir une véritable déroute. Fin novembre, seul un sixième de l'armée réussit à franchir la Berezina, une petite rivière de Biélorussie. La stratégie de Koutouzov, la détermination du tsar Alexandre Iᵉʳ, les attaques de guérilla des paysans et l'hiver russe ont eu raison de la grande armée française.

En poursuivant les Français en Europe (bataille de Leipzig en 1813), en entrant triomphalement dans Paris, le 31 mars 1814, un grand nombre d'officiers russes d'origine noble découvrent l'Occident.

En 1815, le tsar, au congrès de Vienne, est le « gendarme de l'Europe ». Les cosaques russes campent à Paris !

Les décembristes, premier groupe révolutionnaire

Décembre 1825, nouvelles émeutes. Un complot militaire, préparé par les libéraux nobles les plus brillants de l'intelligentsia, réunit sur la place du Sénat, à Saint-Pétersbourg, 3 000 insurgés. Ils réclament un régime constitutionnel, le respect des libertés et l'abolition du servage. La révolte dite « des décembristes » est matée dans le sang. Les rebelles sont pendus ou exilés en Sibérie.

1830, c'est la tragédie de la Pologne.

Sous l'autorité du tsar depuis la chute de Napoléon et le traité de Vienne, la Pologne se révolte. Le tsar Nicolas Iᵉʳ la réduit au rang de simple province russe.

1853, nouvelle catastrophe: c'est la guerre de Crimée. Les tsars pratiquent une politique d'expansion vers la Méditerranée. Ils veulent une sortie sur la mer Noire, mais se heurtent à l'obstacle turc. D'où la guerre.

Après le désastre de Sébastopol en 1854 et la mort du tsar Nicolas en 1855, la Russie doit signer une paix humiliante.

L'ère des grandes réformes

Après le règne terrible du tsar autocrate Nicolas Iᵉʳ, celui que l'on surnommait alternativement « le gendarme de l'Europe », « le tsar de fer » ou « Nicolas la Trique », le tsar Alexandre II, arrivé au pouvoir en 1855, fait figure de despote éclairé. Considérant qu'il vaut mieux libérer les serfs par une loi plutôt que les voir se libérer par une révolte, il abolit le servage dès son accession au trône. Cette réforme touche 52 millions de paysans : 44,5 p. 100 de la population russe ! Elle a un intérêt politique évident : elle donne à l'armée russe une large réserve de soldats après la cuisante défaite de Crimée. En effet, jusque-là, les serfs n'avaient pas le droit de porter les armes. Alexandre entame une série de réformes pour libéraliser le pays : l'administration, la justice, les finances, l'instruction, l'armée sont touchées. En 1874, la durée du service militaire passe de 25 ans à 6 ans.

Mais ces réformes ne suffisent pas. Dans les années 1860, le nihilisme hérité de la lutte entre occidentalistes et slavophiles devient le credo de la jeune génération. Dans les années 70, il est remplacé par le populisme.

Le terrorisme s'organise

Les populistes se sentent le devoir moral de se tourner vers les masses, les paysans. Par milliers, ils sillonnent les campagnes, cherchant à comprendre les aspirations des paysans et à établir un contact avec eux. La croisade populiste est un échec. Le peuple ne réagit pas, il ne veut pas se révolter. Souvent même, des paysans dénoncent les populistes révolutionnaires à la police !

Alors naissent des sociétés secrètes révolutionnaires, comme « Terre et Liberté » et « Volonté du peuple ». Le 1ᵉʳ mars 1881, après sept tentatives, des étudiants révolutionnaires lancent une bombe sous l'attelage du tsar : Alexandre II meurt assassiné.

Les deux derniers tsars de l'histoire russe, Alexandre III et Nicolas II, n'ont qu'une idée en tête : limiter les effets des

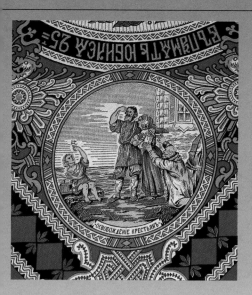

CI-CONTRE : Nicolas II et la tsarine Alexandra Fedorovna, princesse allemande.

réformes et n'en accepter aucune autre. Censure et persécutions battent leur plein. La russification devient systématique dans les territoires annexés : pays Baltes rattachés en 1795, Finlande en 1809, Caucase pacifié vers 1860, Asie centrale en 1881. La langue russe est la seule langue autorisée dans les administrations et les tribunaux. En revanche, l'Alaska, occupée par les trappeurs russes en 1784, est bradée aux Américains en 1867.

S'appuyant sur une noblesse moribonde, le tsar se coupe définitivement des forces vives de la Russie. En cette fin de XIXe siècle, la Russie est devenue une grande puissance. Partie de 36 millions d'habitants en 1796, elle atteint les 125 millions d'habitants en 1897. La Sibérie commence à se peupler. Le premier rail de la ligne de chemin de fer qui la reliera à Moscou, le Transsibérien, est posé en 1891.

Grâce à Witte, ministre des Finances de Nicolas II, les capitaux étrangers affluent, aidant au développement de l'industrie lourde. Les « grandes réformes » de cette deuxième moitié du XIXe siècle ont bouleversé la Russie de fond en comble. Le développement du capitalisme, l'évolution de la paysannerie, le déclin de la noblesse, la naissance du prolétariat industriel (2 millions d'ouvriers en 1900) marquent la période.

QUI SONT LES PRINCIPAUX TSARS DE LA DYNASTIE DES ROMANOV ?

■ **Michel** (1613-1645) : c'est le premier des Romanov.

Pierre Ier, ou **Pierre le Grand** (1682-1725) : premier souverain moderne, il chercha à faire de la Russie une grande puissance politique et économique en l'ouvrant sur l'Occident. Il est le fondateur de Saint-Pétersbourg, l'actuelle Leningrad.

Catherine II (1762-1796) : prototype du « despote éclairé » et femme de tête, la Grande Catherine renonça aux réformes après une révolte paysanne.

Alexandre Ier (1801-1825) : surnommé « le Sphinx », Alexandre tenta des réformes libérales, mais sans jamais les porter à leur terme. Il est surtout l'homme qui s'opposa aux armées de Napoléon.

Nicolas Ier (1825-1855) : surnommé « Nicolas la Trique », il s'efforça de défendre l'ordre établi, et avant tout l'autocratie, en transformant la Russie en un État militaire et bureaucratique.

Alexandre II (1855-1881) : contraint par les événements, il entreprit des réformes fondamentales, comme l'abolition du servage, en 1861. Ces réformes, insuffisantes, entraînèrent de nouveaux troubles. Alexandre II mourut assassiné.

Alexandre III (1881-1894) : réactionnaire convaincu, il pratiqua avec talent la « contre-réforme », s'appuyant sur la noblesse en déclin et l'Église orthodoxe.

Nicolas II (1894-1917) : il laissa gouverner sa femme Alexandra, conseillée par Raspoutine. Il mourut avec sa famille, exécuté en 1918. Avec lui s'éteint la dynastie des Romanov.

La révolution russe

CI-DESSOUS : Manifestation bolchevique, sur la place du palais d'Hiver, à Petrograd, annonciatrice du renversement du pouvoir tsariste.

CI-CONTRE : « Soyez vigilants ! ». Soldat de l'Armée rouge chassant de Russie les riches profiteurs (guerre russo-polonaise, printemps de 1920). Musée des Deux Guerres mondiales, Paris.

Le premier conflit du XXᵉ siècle, c'est la guerre russo-japonaise. Depuis quelques années, la Russie convoite l'Asie, pour y écouler ses produits fabriqués. Quant au tsar Nicolas II, il est persuadé qu'une sorte de mission l'y appelle. C'est le choc de deux puissances expansionnistes dans le Pacifique. Face à eux, les Russes trouvent le Japon, un petit pays encore discret, mais remarquablement organisé et bien préparé. En février 1904, le Japon, las de chercher un vain accord avec la Russie, attaque la flotte par surprise à Port-Arthur. Les Russes sont écrasés. Ils sont contraints de signer un cessez-le-feu.

La nécessité est d'autant plus forte qu'une formidable explosion est en train de secouer le pays. La révolution de 1905 vient de s'engager.

Le « Dimanche rouge » met le feu aux poudres

En Russie, tout va mal. Depuis la défaite russe en Asie, le peuple n'a vraiment plus confiance en son tsar. Les peuples annexés protestent contre la russification imposée. Les paysans pauvres sont mécontents des lois agraires qui les obligent, pour être indépendants, à racheter la terre qu'ils cultivaient. Les ouvriers, qui travaillent 12 heures par jour pour des salaires très bas, s'organisent en associations.

Sous l'action des premiers socialistes russes, qui se réclament de Marx, les grèves se multiplient. En 1903, le parti social-démocrate, constitué en 1898, se scinde en deux mouvements : le groupe bolchevik (en russe « majoritaire »), de Lénine, et le groupe menchevik (« minoritaire »). Mis à part la noblesse, tout le pays semble faire bloc contre l'autocratie du tsar. Les pays étrangers eux-mêmes encouragent les libéraux.

Le dimanche 9 janvier 1905, des milliers d'ouvriers de Saint-Pétersbourg se retrouvent dans la rue, conduits par un aventurier provocateur, le pope Gapone. Ils portent des icônes et des portraits du tsar, et l'implorent d'intervenir en leur faveur. À cette fidélité soumise, la garde tsariste répond par l'artillerie : 130 manifestants sont tués pendant ce « Dimanche rouge ». Le peuple russe, indigné, ne le pardonnera pas au tsar.

Des assemblées du peuple, les « soviets » (en russe « conseils »), sont créées. Les grèves et les émeutes s'amplifient : les marins du cuirassé *Potemkine* se révoltent en juillet 1905. Nicolas II doit faire des concessions. Il promet la création d'un Parlement élu, la douma, qui approuvera toutes les lois. Une douma, deux doumas sont élues, puis dissoutes. Seule la troisième, de laquelle ont été écartés les partis populistes, vivra jusqu'en 1912 : elle se contentera d'entériner les décisions du tsar. Après une période de répression, c'est l'assassinat du ministre Stolypine en 1911 et 1 500 000 grévistes en 1914.

« La guerre est le plus beau cadeau de l'impérialisme à la révolution. » (Lénine)

En 1914, la Russie, un peu comme les autres puissances, est précipitée malgré elle dans la Première Guerre mondiale. Alliée de la France depuis 1891 et de la Grande-Bretagne depuis 1907, elle est attaquée par l'Allemagne le 1ᵉʳ août 1914. Très vite, l'armée russe manque de munitions : les généraux doivent rationner certaines unités, en ne leur laissant tirer que cinq obus par jour ! Malgré l'habituel courage des soldats, les défaites se multiplient. Avec, fin 1916, 2 500 000 tués et 4 500 000 blessés, la Russie sera le pays le plus touché par cette guerre.

Dès le début de la guerre, au lieu de profiter du sentiment d'union nationale qu'engendre tout conflit, Nicolas continue à pourchasser tous ses opposants. Il arrête et poursuit pour haute trahison les députés bolcheviks de la douma qui s'opposent à cette guerre « impérialiste ». Bien plus, en 1915, il décide de prendre le commandement en chef des armées, et remet le pouvoir suprême à sa femme Alexandra, alors totalement sous l'influence d'un moine réactionnaire et arriviste, Raspoutine.

La première révolution russe va se faire sans bruit. Fin février, alors que les grèves tournent à l'insurrection, le peuple demande la création d'un gouvernement provisoire. Les révolutionnaires s'emparent du Kremlin. Le gouvernement tsariste tombe. Deux pouvoirs se constituent : la douma et le soviet des ouvriers et des soldats de Petrograd, nom de Saint-Pétersbourg depuis 1914. Nicolas II abdique le 15 mars. La Russie est devenue une république.

Le parti bolchevik est au pouvoir

En trois mois, le gouvernement provisoire perd sa crédibilité, et l'influence du

QUEL A ÉTÉ LE RÔLE DE LÉNINE DANS LA RÉVOLUTION ?

■ Lénine, de son vrain nom Vladimir Illitch Oulianov, était un fils de petit bourgeois. Il brisa très vite avec son milieu et se lia au premier mouvement révolutionnaire russe, après la mort de son frère, pendu pour avoir comploté contre le tsar. Dès 1893, à 23 ans, il fit la propagande des thèses marxistes dans les cercles ouvriers. Condamné en 1895 à trois ans d'exil en Sibérie, où il prit le pseudonyme « Lénine », il quitta la Russie en 1900, revint pour la révolution de 1905, se cacha ensuite en Finlande, et dut à nouveau s'exiler à l'étranger en 1907. En 1917, il rentra secrètement avec l'aide de l'Allemagne, qui avait tout intérêt à attiser la révolution chez son ennemie.

Lénine travailla à l'organisation de son parti et prépara la révolution depuis l'étranger. Il publia de nombreux textes : « Le développement du capitalisme en Russie », « Que faire ? », « L'impérialisme, stade suprême du capitalisme »... Devenu président du Soviet des commissaires du peuple, c'est-à-dire chef du gouvernement, il instaura la dictature du prolétariat, créa la Tcheka (1917), une police politique destinée à briser l'opposition intérieure, signa la paix avec les Allemands (1918), fonda la IIIᵉ Internationale, créa l'Union des républiques socialistes soviétiques (1922).

Entre 1918 et 1921, il dut pratiquer le « communisme de guerre » pour anéantir les contre-révolutionnaires, puis il inaugura une nouvelle politique économique (la NEP), axée sur le rétablissement partiel du capitalisme.

Lénine mourut le 21 janvier 1924. Il fut embaumé et inhumé dans un mausolée dressé sur la place Rouge, à Moscou.

---

soviet de Petrograd, le premier mis en place, devient prépondérante. À l'intérieur des soviets, créés dans de nombreuses villes et campagnes russes, le parti bolchevik, soutenu par Lénine rentré d'exil en avril, devient majoritaire en septembre. Il décide l'insurrection armée.

« Le gouvernement hésite. Il faut l'achever à tout prix ! La temporisation dans l'action, c'est la mort ! » lance Lénine. Le 7 novembre (ou 24 octobre, selon le calendrier en vigueur à l'époque), Lénine, son adjoint Trotski, et tous

les révolutionnaires occupent les centres vitaux de la capitale. Les ministres sont arrêtés. Les bolcheviks s'emparent du pouvoir. La révolution a triomphé.

Ce jour-là, les premiers décrets du pouvoir des soviets répondent enfin à l'attente du peuple : la paix et la terre lui sont enfin données. En mars 1918, une paix séparée est conclue avec les Allemands à Brest-Litovsk. « Nous, les bolcheviks, déclare Lénine, nous avons convaincu la Russie. Maintenant, nous devons la gouverner. »

CI-DESSUS : Distribution de blé et de semences aux paysans de Samara, lors de la famine de 1921-1922.

CI-DESSOUS : Léon Trotski à la tribune de la place Rouge le 1er mai 1924.

CI-CONTRE : Staline, « petit père des peuples », au congrès des kolkhoziens en 1935.

La période stalinienne

La révolution achevée, la paix signée, la Russie plonge dans une autre guerre, civile celle-là. Pendant trois ans, de 1918 à 1921, le parti bolchevik, devenu parti communiste, va lutter contre les contre-révolutionnaires. Les violents combats entre l'Armée rouge et les armées blanches, soutenues par les pays étrangers, dont la France, le Japon, les États-Unis et l'Angleterre, ruinent le jeune État. Lénine instaure un « communisme de guerre », basé sur la terreur, les réquisitions, le travail obligatoire et même certaines méthodes « bourgeoises » pour augmenter la productivité des entreprises. Mais la famine et la crise économique provoquent un tel mécontentement que Lénine doit changer de politique. Après « tout pour la guerre », un nouveau mot d'ordre est lancé : « tout pour la production ».

La succession de Lénine est ouverte

Avec la NEP, la nouvelle politique économique, les paysans sont libérés du joug de l'État, le commerce libre est rétabli, les petites et moyennes entreprises sont privatisées, les capitaux étran-gers admis dans les entreprises soviétiques. En revanche, les postes clés de l'économie restent entre les mains de l'État.

Lénine meurt en 1924. Qui va lui succéder ? Est-ce Trotski, commissaire du peuple à la Guerre, dont Lénine disait : « Il pèche par excès d'assurance et par un engouement exagéré pour le côté purement administratif des choses » ? Ou est-ce Staline, secrétaire général du parti, à propos duquel Lénine avait écrit, dès 1922 : « Le camarade Staline a accumulé entre ses mains un pouvoir démesuré, et je ne suis pas certain qu'il soit toujours capable d'en faire usage avec la prudence nécessaire. Staline est trop brutal, il faut le démettre de ses fonctions » ?

Trotski n'est pas favorable à la NEP, qu'il considère comme une capitulation devant le capitalisme. Il pense par ailleurs que le communisme ne pourra triompher en Russie que dans le cadre d'une révolution mondiale. Staline, lui, défend la thèse opposée. Son rôle de secrétaire général va lui permettre d'évincer Trotski, de l'exclure du parti en 1927, de l'expulser d'U.R.S.S. en 1929 et de le faire assassiner en 1940.

L'époque noire de la terreur

Staline, seul maître à bord, lance une nouvelle formule : « le socialisme dans un seul pays ». Il durcit la lutte contre tous ses opposants de gauche et abandonne la NEP. En 1928-1929, c'est le « grand tournant », incarné par la collectivisation des exploitations paysannes, l'industrialisation accélérée, l'instauration de plans quinquennaux et la naissance d'un communisme marqué par le culte de la personnalité. Les dix ans qui précèdent la Seconde Guerre mondiale paraissent, aujourd'hui, une période monstrueuse : les « grandes purges » de 1936 à 1938 exécutent ou envoient dans les camps de concentration de Sibérie et du Grand Nord tous

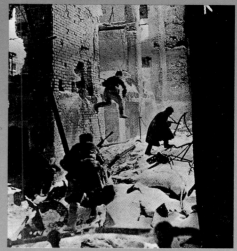

ceux que Staline considère comme des « ennemis du peuple » : les anciens compagnons de Lénine, bolcheviks de la première heure, des chefs de l'armée, les hommes de la police secrète, et, bien sûr, les intellectuels. Le bilan est effrayant : 8 millions de personnes, au moins, furent ainsi liquidées sur ordre de Staline.

Pourtant Staline est populaire : il a fait redémarrer le pays, il a instauré le calme politique, il a développé l'industrie lourde, il a lutté contre l'analphabétisme, il a accordé des libertés aux nationalités qui composent l'U.R.S.S.

20 millions de morts pendant la Seconde Guerre mondiale

Août 1939, Staline signe un pacte de non-agression avec Hitler. Septembre 1939, la Seconde Guerre commence.

Juin 1941, Hitler, contre toute attente, attaque l'U.R.S.S. Il avance jusqu'à Leningrad qu'il assiège. Janvier 1942, la « guerre-éclair » lancée par Hitler a échoué. Les Allemands se replient dans le sud de l'U.R.S.S. C'est la bataille de Stalingrad. Après cinq mois de combats acharnés, le 3 février 1943, l'Armée rouge obtient la capitulation de la VIe armée, dirigée par Friedrich Paulus. En janvier 1944, le blocus de Leningrad est levé. Il aura duré 600 jours et tué, par le feu, la faim et la maladie, 1,5 million d'hommes et de femmes.

Été 1944, l'Armée rouge déferle sur l'Europe centrale.

Mai 1945, l'Armée rouge entre dans Berlin et reçoit la capitulation de l'Allemagne. L'U.R.S.S. est devenue une grande puissance européenne. Le bilan de la « guerre patriotique », la première guerre du jeune État communiste, est très lourd : 20 à 25 millions de morts et un pays dévasté. Beaucoup de ces morts sont à mettre sur le compte de l'irresponsabilité personnelle de Staline. En 1945, le rideau de fer s'abat sur l'Europe. Pourtant, le mythe « Staline » sort de la guerre renforcé. Pendant les dix années qui suivent, toutes les caractéristiques de l'U.R.S.S. stalinienne s'épanouissent : culte de la personnalité, absence de vie politique réelle, mystique des plans quinquennaux, pénurie alimentaire, problème du logement, agriculture sacrifiée au profit de grandes réalisations industrielles et des exploits cosmiques, uniformité intellectuelle, exaltation de la puissance nationale dans le passé et le présent, guerre froide dans les relations diplomatiques avec les pays capitalistes, et, surtout, conviction d'être le modèle de l'humanité nouvelle.

COMMENT SE PASSA LA COLLECTIVISATION DANS LES CAMPAGNES ?

■ En 1928, la collectivisation fut approuvée par le plénum du Comité central du parti communiste comme la solution à la crise agricole, dite « crise du blé ». Elle prit rapidement un caractère obligatoire.

La direction du parti autorisa des mesures extraordinaires en vue de pourchasser les koulaks, des paysans aisés qui cachaient le blé au lieu de le vendre à l'État à bas prix. On obligeait les paysans, parfois sous la menace d'une arme, à mettre en commun leur travail et leurs biens dans les kolkhozes. Souvent, on réquisitionnait tout, jusqu'au dernier poulet.

La résistance était grande. Pour ne pas donner le bétail aux kolkhozes, certains paysans l'abattaient. Les dégâts ainsi causés à l'élevage ne purent être réparés avant plusieurs décennies. Les quelque 90 000 lettres de paysans adressées au Comité central et à la *Pravda*, journal du parti, témoignent des tensions extrêmes qui menaçaient le pouvoir des soviets.

Néanmoins, l'explosion du mécontentement des campagnes fut contenue par un article de Staline, « Le vertige du succès », publié dans la *Pravda*, le 2 mars 1930. Il y détournait habilement la responsabilité de la violence sur les dirigeants locaux, et appelait à respecter le principe d'inscription volontaire dans les kolkhozes. Le reflux des masses paysannes, dupées par l'article, fit baisser le pourcentage d'adhésion aux kolkhozes de 75 à 21 p. 100, avant que la collectivisation ne reprenne, quelques mois plus tard, pour s'achever vers 1934.

Des milliers de koulaks furent déportés en Sibérie. En Ukraine, la famine de 1932 fut la conséquence de la collectivisation forcée. Les violences commises sur les paysans, pendant la collectivisation, ont coûté 10 millions de vies humaines, comme le reconnaît Staline lui-même.

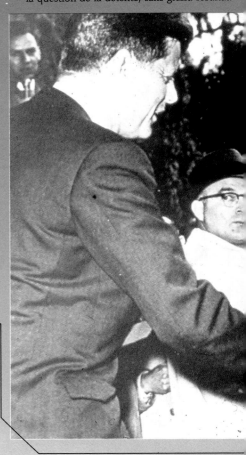

CI-DESSUS : Khrouchtchev accueille Iouri Gagarine après le premier vol spatial habité, en 1961.

De Staline à Gorbatchev

En 1956, trois ans après la mort de Staline, Nikita Khrouchtchev, premier secrétaire du parti, fait un rapport d'activité au XXᵉ Congrès du parti communiste. Devant les représentants de 7 215 000 communistes, il explique sa politique extérieure caractérisée par le « dégel » : il se prononce pour la coexistence pacifique entre États et régimes différents, le bloc socialiste faisant contrepoids à l'impérialisme pour éviter une troisième guerre mondiale. Il annonce aussi les nouvelles tendances de sa politique intérieure : en 1960, le VIᵉ plan quinquennal portera le niveau de l'U.R.S.S. à 55 p. 100 au-dessus de celui de 1955, il maintiendra la priorité à l'industrie lourde, augmentera les nouvelles sources d'énergie, en particulier l'énergie atomique, poursuivra les nouvelles méthodes agraires utilisées depuis 1954, c'est-à-dire la mise en valeur des Terres vierges et l'implantation du maïs.

À la fin de son discours, Khrouchtchev fixe les objectifs et les moyens de sa future politique : mobiliser les masses, renouveler les cadres pour secouer l'apathie et la morgue bureaucratiques.

À la découverte des « crimes » de Staline

Dix jours plus tard, après la clôture des débats sur le rapport officiel, Khrouchtchev en fournit un autre, à huis clos, où il dévoile les tares du régime stalinien. Bien que ce rapport secret n'ait jamais été publié en U.R.S.S., c'est un véritable tournant dans la vie politique. Les Soviétiques reçoivent un profond choc psychologique en apprenant, même partiellement, les crimes commis sous Staline. C'est la déstalinisation. Les réhabilitations et les retours des camps se multiplient. Staline est exclu du mausolée de Lénine, où il avait été embaumé. Les villes qui portent son nom sont rebaptisées, on songe même à ériger un mausolée en mémoire des victimes du stalinisme.

Jusqu'en 1964, Khrouchtchev domine la scène politique. Les réformes économiques, sociales et culturelles qu'il a amorcées laissent espérer des changements. Pourtant, la déstalinisation et la politique extérieure de Khrouchtchev créent des tensions parmi les dirigeants, qui vont provoquer sa chute.

Brejnev renforce le secteur militaire

Les chefs des divers groupes de pression (armée, KGB, secteur industriel, propagande...) finissent par recourir au compromis. Un homme habile, Leonid Brejnev, arrive au pouvoir. Pendant les dix premières années, il incarne cette pratique politique faite de compromis. Pendant les dix suivantes, vieillissant et malade, il sera le symbole d'une politique de stagnation.

Sous Brejnev, l'industrie militaire se développe considérablement au détriment d'autres secteurs, ce qui se fait sentir dans la politique extérieure de l'U.R.S.S. C'est l'époque de l'installation en Europe orientale de missiles SS-20 à moyenne portée, de l'intervention soviétique en Afrique noire, dans le monde arabe et en Europe de l'Est, et de la guerre en Afghanistan. C'est aussi l'époque de la détente,

CI-CONTRE : 26 mars 1989 : premières élections libres organisées en U.R.S.S., qui confirment la popularité de la perestroïka.

de l'ouverture à l'Ouest, dynamisée par les accords commerciaux 1973-1974. À l'intérieur du pays, les conditions de vie ne s'améliorent guère.

La perestroïka est-elle une solution d'avenir ?

À l'arrivée de M. Gorbatchev au pouvoir, en 1985, la restructuration, ou « perestroïka », devient une nécessité vitale pour le régime. Le danger d'extériorisation des difficultés et des conflits intérieurs au moyen d'une guerre, voire d'une guerre atomique suicidaire, est bien réel. C'est pourquoi Gorbatchev étonne le monde en libéralisant sa politique intérieure et extérieure. Les Soviétiques, habitués aux tournants politiques brusques qui, au fond, ne changent rien dans leur vie, restent d'abord méfiants. Mais, après des déclarations d'intention,

la politique de Gorbatchev devient réalité. Ainsi, en juin 1988, la 19e conférence du parti communiste, où Gorbatchev consolide la perestroïka, est vécue en U.R.S.S. comme un véritable événement politique.

Aujourd'hui, la perestroïka s'approfondit, gagnant en crédibilité. Les réformes économiques prennent de l'envergure. Les républiques d'Estonie et de Lituanie revendiquent leur autonomie réelle. L'exigence d'un régime multipartis s'exprime à travers la presse.

En même temps, les résistances à la perestroïka se multiplient. Elles viennent des nationalistes russes, de l'organisation d'extrême droite « Pamiat », des bureaucrates menacés de limogeage, et de tous ceux qui voient d'un mauvais œil les coopérateurs s'enrichir. Les freins au processus de restructuration se font parfois sentir de la part de la direction du parti lui-même, bien que celui-ci se veuille le moteur de la perestroïka.

Ainsi, en mars 1989, pour la première fois dans l'histoire de l'U.R.S.S., des élections ont été organisées sur une base beaucoup plus démocratique. Leurs résultats traduisent une adhésion massive à la «nouvelle pensée» politique introduite par Mikhaël Gorbatchev et inaugurent une période de changements politiques.

QU'EST-CE QUE LA PERESTROÏKA ?

■ Depuis son arrivée au pouvoir, Gorbatchev a débloqué les pourparlers sur le désarmement, réduit le contingent militaire soviétique dans les pays de l'Est et retiré les troupes d'Afghanistan. Une partie de la direction de l'armée et de l'appareil du parti a été renouvelée. Les Soviétiques ont été conviés à participer plus activement à la vie de la société.

L'autogestion des entreprises d'État a été élevée en nouveau principe économique. Des coopératives sont apparues sous forme de restaurants, de petits commerces ou d'agences de voyages, tous privés. Les terres ont été en partie décollectivisées, la planification assouplie, et les prix réformés. Les échanges internationaux se sont intensifiés : « Pierre Cardin » s'est installé à Moscou, puis Panzani et McDonald's. Les formalités pour ceux qui désirent voyager à l'étranger ont été simplifiées. Une loi électorale a permis un vrai choix des candidats et la transparence, la « glasnost », donne le ton dans les affaires publiques.

La presse abonde en révélations concernant le passé. De nombreuses victimes des grands procès staliniens ont été réhabilitées. Tous ces débats passionnent les Soviétiques, qui discutent aussi le présent avec plus de liberté. Le droit de manifestation est reconnu, bien qu'encore limité.

On publie les auteurs victimes du stalinisme, comme Soljenitsyne, et les écrivains non conformistes de l'ère brejnévienne. « Aujourd'hui, il est plus intéressant de lire que de vivre ! », dit une plaisanterie soviétique...

La vie nationale

L'U.R.S.S. est actuellement formée de quinze républiques fédérées : la Russie, qui englobe une grande partie de la Sibérie et qu'on désigne sous les initiales R.S.F.S.R. (République socialiste fédérative soviétique de Russie), l'Ukraine, la Biélorussie, l'Estonie, la Lituanie, la Lettonie, l'Ouzbékistan, le Kazakhstan, le Kirghizistan, le Tadjikistan, le Turkménistan, la Géorgie, l'Azerbaïdjan, l'Arménie, la Moldavie. À l'intérieur de plusieurs républiques fédérées, certains territoires ont été individualisés en républiques autonomes (il y en a quinze en R.S.F.S.R.) et en régions autonomes. Enfin les peuples qui n'ont que de faibles effectifs forment dès arrondissements nationaux moins importants que la région.

État multinational fédéral, l'État soviétique est aujourd'hui confronté aux innombrables problèmes posés par la multiplicité des nationalités. Ni la reconnaissance théorique du principe d'égalité entre toutes les races et nationalités, ni le rôle dirigeant du parti voulu par Lénine n'ont réussi à donner à ce vaste ensemble une cohésion suffisante pour affronter les impératifs économiques de cette fin de siècle.

Les institutions soviétiques datent de la prise du pouvoir par les bolcheviks en 1917. Elles constituent un système unique d'institutions politiques, sociales et culturelles qui déterminent le cadre de la vie nationale. On distingue, d'une part, les institutions politiques (parti, soviets, administrations et organisations), établies entre 1917 et 1922 et qui font aujourd'hui l'objet de réformes, d'autre part, les institutions économiques (plan, gestion des entreprises) mises en place dans les années 1930 et modifiées à plusieurs reprises pour augmenter l'efficacité économique du système.

Le rôle dirigeant du parti

Le parti communiste est la force politique qui oriente et dirige toutes les autres institutions. Administrations, organisations d'État et soviets sont placés sous sa direction. Ses organes de direction (Bureau politique et Comité central) fixent les grandes orientations de la politique (économique, sociale, culturelle et étrangère). Les décisions les plus importantes sont adoptées par les sessions plénières du Comité central, réunies deux fois par an.

Le parti, ensemble hiérarchisé d'organisations, est composé de près de 20 millions de membres, soit 10 p. 100 de la population adulte. L'unité de l'organisation multinationale de l'U.R.S.S. est assurée par lui. Les décisions de ses instances dirigeantes sont obligatoires pour toutes ses organisations en tout point du territoire. Mikhaïl Gorbatchev, secrétaire général du P.C.U.S., est également chef de l'État soviétique.

Les soviets sont les assemblées représentatives des citoyens et jouent un rôle comparable à celui d'une chambre de députés. Ainsi, les soviets de ville (*gorkom*) sont l'équivalent de nos municipalités. Depuis la mise en place de la perestroïka, la loi électorale a été profondément modifiée ; d'une part, le parti ne joue plus un rôle essentiel dans la sélection des candidats, d'autre part, plusieurs candidatures peuvent être présentées par circonscription électorale.

En vertu de la réforme de 1985, le Congrès des députés du peuple,

composé de 2 250 députés, élira deux chambres : le Soviet de l'Union et le Soviet des nationalités, qui siégeront comme un Parlement permanent. La première élection de ce Congrès a eu lieu en mars 1989. Les principes de législation sont adoptés par le Soviet suprême de l'U.R.S.S. Le présidium du Soviet suprême comprend 42 membres élus du Soviet suprême dont il assure la direction. Il adopte les décrets fixant les devoirs des citoyens et réglementant les organes politiques ou judiciaires du pays.

Jusqu'à une date récente, les organes du parti détenaient le pouvoir, tandis que les soviets avaient surtout pour mission de garantir le dialogue entre la population et l'administration. Le renforcement du rôle du Soviet suprême de l'U.R.S.S. au détriment du parti devrait, en bonne logique, donner au premier la possibilité d'intervenir auprès du Conseil des ministres de l'U.R.S.S. et lui permettre, éventuellement, de provoquer la démission d'un ministre, décision qui reste jusqu'ici du ressort exclusif du parti.

Associations et organisations de masse

Avant la perestroïka, les associations étaient peu développées car leur rôle dans la vie sociale aurait supposé une forme de démocratie jugée dangereuse. Aujourd'hui, elles sont largement encouragées et se multiplient dans divers secteurs de la vie culturelle (par exemple, l'association « Mémorial », consacrée à la réhabilitation des victimes du stalinisme).

Les organisations de masse gardent jusqu'ici une structure nationale. Elles ont une vocation politique comme le Mouvement de la jeunesse communiste (Komsomol), sociale comme les syndicats, ou économique comme les coopératives (kolkhozes).

Les syndicats ont à la fois mission de mobiliser les masses pour atteindre les ojectifs économiques et de défendre les intérêts des travailleurs, ce qui ne va pas sans contradictions.

Les unions regroupant les écrivains, peintres, compositeurs, cinéastes, etc., organisent le travail de leurs adhérents et défendent leurs droits matériels tout en exerçant sur les créations un pouvoir de contrôle, qui est aujourd'hui largement remis en cause.

Les sociétés culturelles et scientifiques comme Znanie (diffusion des connaissances scientifiques) ou sportives comme le DOSSAAF (société volontaire d'aide à l'armée, l'aviation et la flotte), qui comptent des millions d'adhérents, ont des prérogatives considérables (attribution des permis de conduire et des permis de chasse, entre autres). Leurs statuts et leur développement sont directement contrôlés par l'État.

La gestion de la vie économique et sociale est confiée au Conseil des ministres de l'U.R.S.S., placé sous la direction du Bureau politique et du Comité central du parti. Un présidium en assure la direction. Les républiques fédérées et autonomes ont leurs conseils des ministres, qui reproduisent la même organisation. Leurs présidents appartiennent de droit au Conseil des ministres de l'U.R.S.S.

Jusqu'à la mise en place de la perestroïka, la plupart des activités économiques et sociales étaient prises en charge par l'État, notamment par l'intermédiaire d'un organe essentiel : le Gosplan (Comité d'État pour le plan). Si le principe de l'autonomie financière (khozraschet) a ouvert, durant les années 1970, une première brèche dans le système de planification rigide, il est resté trop limité dans son application. En 1988, la république d'Estonie a obtenu l'autonomie financière pour l'ensemble de ses activités, inaugurant une phase nouvelle dans la réforme économique.

Le développement des secteurs coopératif et privé ainsi que l'appel à l'initiative individuelle dans les différents domaines économiques et sociaux devraient provoquer des transformations importantes dans les institutions soviétiques, et entraîner si nécessaire une réforme en profondeur de la Constitution adoptée en 1977.

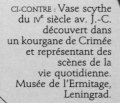

CI-CONTRE : Cavalier, détail d'un rython en argent de la région d'Erevan (Arménie) ; Vᵉ – IVᵉ siècle av. J.-C. Musée de l'Ermitage, Leningrad.

CI-CONTRE : Vase scythe du IVᵉ siècle av. J.-C. découvert dans un kourgane de Crimée et représentant des scènes de la vie quotidienne. Musée de l'Ermitage, Leningrad.

Le patrimoine culturel

De la peinture préhistorique à l'art de l'icône

Le terme de culture suppose une longue histoire, et celle de l'U.R.S.S. est trop récente pour qu'on lui attribue la multiplicité et la richesse des formes artistiques dont rayonne son espace. La culture de l'U.R.S.S. est en fait la somme des cultures de l'Europe, de l'Orient et de la Sibérie.

Des mammouths peints dans les grottes de Sibérie

Les premières manifestations artistiques remontent au paléolithique, entre 30 000 et 25 000 ans avant Jésus-Christ. Les statuettes féminines de Kostenki, dans la région de Voronej, au sud de Moscou, sont parmi les plus anciennes œuvres d'art que l'on ait retrouvées dans le monde. De cette époque datent aussi les reliefs rupestres de Sibérie, près du fleuve Ob, et les peintures de mammouths de la grotte de Kapovaïa, dans l'Oural. Ces peintures sont de la même époque que les fresques qui ornent, par exemple, la grotte de Lascaux, en France.

Plus récents sont les dessins sur pierre et sur os provenant de l'île aux Rennes, en Carélie, près de la frontière finlandaise. Ils datent du néolithique (IVᵉ millénaire avant Jésus-Christ). Mais la plus célèbre des cultures néolithiques s'est développée dans la vallée du Dniepr et du Dniestr, au nord de la mer Noire. Elle est connue sous le nom de « civilisation du Tripolié », nom d'un site particulièrement riche en poteries.

Le trésor des Scythes

Des objets datant du Iᵉʳ millénaire ont été découverts sur un immense territoire, qui va des bassins du Dniepr et du Don à celui de l'Ienisseï, en Sibérie, et jusqu'à l'Altaï, à la frontière de la Chine. On les a appelés « antiquités scythes ».

Les Scythes, des nomades qui ont envahi le territoire slave vers 500 avant Jésus-Christ, sont originaires d'Asie centrale. Ils ont amené avec eux un art décoratif original, fait d'objets décorés d'animaux : élans, cerfs, panthères, aigles ou animaux mythiques. Ces objets témoignent de leur vie de nomades : ce sont des boucles, des broches, des fibules, des parements de selle. Ils sont en or, en bois, en cuir, en argent ou en bronze coulé, et leur modelé est toujours d'une grande pureté.

Les Sarmates, proches parents des Scythes qu'ils ont chassés à partir du IVᵉ siècle avant notre ère, ont perpétué la tradition animalière. On connaît d'eux, en particulier, une tête d'ours sculptée sur une plaque de bronze qui a été trouvée près de Perm, dans l'Oural. Les Sarmates ont inventé les premiers cloisonnés, avec des incrustations de pâte de verre bleue ou de corail rose. Tous ces objets ont été retrouvés sur les sites funéraires. Ce sont les plus belles créations de l'art animalier que l'on connaisse. Le « Trésor scythe » est conservé au musée de l'Ermitage, à Leningrad.

CI-DESSUS : Élément décoratif d'une selle en feutre représentant un élan au galop ; Vᵉ siècle av. J.-C. Art de la Sibérie et de l'Altaï. Musée de l'Ermitage, Leningrad.

CI-DESSOUS : Détail d'une fresque provenant de Pendjikent (Tadjikistan) ; VIIᵉ-VIIIᵉ siècle. Musée de l'Ermitage, Leningrad.

CI-DESSOUS : Collier en or, topaze et turquoise d'origine sarmate, provenant de la région de Rostov (détail) ; Iᵉʳ siècle apr. J.-C. Musée de l'Ermitage, Leningrad.

Quelques vestiges d'un art païen

Entre la destruction de l'Empire scythe, au début de notre ère, et l'arrivée du christianisme, au Xᵉ siècle, l'art semble presque absent de Russie. Seules les tribus turco-mongoles érigent, dans la steppe infinie, des sculptures humaines en grès blanc. Dressées sur des tertres funéraires, elles représentent toutes des femmes et sont, probablement, des symboles de fécondité. Ces « babas » de pierre sont l'une des toutes premières manifestations de la grande statuaire russe.

L'art monumental est repris par les Slaves. Leurs idoles de pierre, qui datent d'avant le Xᵉ siècle, appartiennent à un panthéon païen : les forces de la nature, comme le dieu de l'Orage, Peroun, et le dieu des Troupeaux, Veles, sont particulièrement vénérées. La mythologie slave animiste restera longtemps vivante. Bien après la christianisation, les motifs païens seront toujours utilisés : femmes au corps de poisson, animaux fantastiques sur les évangéliaires, vieillards à longue barbe pour représenter le dieu-soleil...

COMMENT L'ERMITAGE EST-IL DEVENU LE PLUS GRAND MUSÉE D' U.R.S.S. ?

■ Le plus grand musée d'Union soviétique est à Leningrad : c'est l'Ermitage. Il renferme aujourd'hui plus de deux millions et demi d'œuvres d'art. Ce splendide ensemble architectural du XVIIIᵉ siècle a été construit sous le règne de Catherine II. C'était son « palais d'hiver ». Elle y avait réuni plus de 2 000 tableaux, acquis dans les grandes villes d'Europe.

En 1805, l'Ermitage devient Musée impérial. Il possédait des collections flamandes et hollandaises (Rubens, Rembrandt...), ainsi que des collections italiennes et françaises.

Après la chute de Napoléon, l'Ermitage acheta une grande partie de la galerie du château de la Malmaison, qui appartenait à l'impératrice Joséphine. Ainsi arrivèrent les collections espagnoles. Tout au long du XIXᵉ siècle,

la Russie continua d'acheter des collections entières à l'étranger : Vinci, Raphaël, Titien... entrèrent à l'Ermitage. Des mécènes, comme Savva Mamontov, un richissime industriel sibérien, contribuèrent à la richesse des musées russes.

Avec la révolution d'Octobre, l'Ermitage doubla, grâce à l'apport des collections privées des familles nobles Youssoupov, Stroganov, Chouvalov et Cheremetiev. En effet, ces princes avaient réuni chez eux des œuvres d'art venues du monde entier. Si l'Ermitage s'est plutôt spécialisé dans les œuvres étrangères, les collections russes sont, aujourd'hui, réunies surtout au Musée russe, à Leningrad. 9 000 tableaux couvrent une période allant du XVIIIᵉ siècle à nos jours.

Kiev s'approprie l'art byzantin

L'art de la Russie kiévienne est un art religieux, inspiré tout entier de l'Empire byzantin. À partir du XIᵉ siècle, le modèle de référence, c'est Constantinople.

Ainsi, dès la christianisation, le colossal dieu Peroun, est jeté dans le Dniepr, pour être remplacé par un quadrige en bronze provenant de Constantinople.

Pour la première fois, on commence à construire les monuments religieux en pierre ou en brique, pour qu'ils ne risquent pas d'être incendiés, comme le sont si souvent les simples maisons de bois. Le chef-d'œuvre de l'art kiévien, c'est la cathédrale Sainte-Sophie, construite en pierre rose, surmontée de douze coupoles plus une coupole au centre.

L'âge d'or de l'art russe

Au XIᵉ et au XIIᵉ siècle, les croisades et la toute-puissance des Turcs Seldjoukides sur l'Asie Mineure écartent Kiev des grands courants commerciaux. C'est alors qu'entrent en scène les villes du Nord-Est, comme Vladimir et Souzdal, et celles du Nord-Ouest, comme Pskov et Novgorod. On y trouve une fusion entre les traditions locales, l'art roman venu d'Europe, quelques influences caucasiennes et, surtout, l'art byzantin. Leur art est plus sobre et plus poétique que l'art kiévien.

Des églises à multiples coupoles

Après la chute de Kiev, en 1300, Vladimir devient la capitale religieuse de la Russie, avant de céder la place à Moscou, en 1327. La cathédrale de la Dormition, qui servira de modèle à celle de Moscou, l'église Saint-Georges, la collégiale Saint-Dimitri avec ses mille sculptures en bas relief, les monastères fortifiés font de Vladimir un des plus beaux centres religieux. L'église de l'Intercession-de-la-

Y A-T-IL PLUSIEURS STYLES D'ICÔNES ?

■ La peinture d'icônes arriva de Byzance, avec le christianisme. Les premières icônes russes furent peintes au Laures de Petchersk, près de Kiev, par saint Alypie. Très vite, les Russes créèrent un style original, libéré des règles byzantines. Trois écoles se formèrent.

La première école russe de peintures d'icônes apparut à Souzdal à la fin du XIIIᵉ siècle. Les icônes de Souzdal se reconnaissent à leur élégance, à leurs tons froids et argentés. Les exemples les plus fameux sont l'icône des saints Boris et Gleb et celle de l'archange saint Michel, peintes sur fond d'argent.

L'école de Novgorod resplendissait au milieu du XVᵉ siècle. Ses icônes monumentales, aux couleurs chaudes, jaune et dorée, débordaient de personnages et de mouvement. Théophane le Grec, grand peintre d'icônes et de fresques, s'installa à Novgorod, où il peint *Saint Macaire d'Égypte* dans la cathédrale de la Transfiguration-du-Sauveur.

L'école de Souzdal se confondit avec l'école de Moscou, au XVᵉ siècle. C'est à l'école de Moscou qu'appartiennent les deux peintres d'icônes les plus célèbres, Andreï Roublev, qui vécut de 1370 à 1430, et son disciple Denis. Le chef-d'œuvre de Roublev, la *Trinité*, se trouve à Moscou, à la galerie Tretiakov. Théophane le Grec, appelé à Moscou, y décora plusieurs des églises du Kremlin.

Les dernières icônes furent peintes au XVIIᵉ siècle. Elles étaient alors plus proches de la miniature, avec un dessin raffiné et minutieux, et souvent couvertes partiellement de plaques d'argent ornées de pierreries. Les derniers peintres d'icônes furent influencés par l'Occident : ils introduisirent les règles de la perspective et le souci du détail anatomique. Un des derniers grands peintres d'icônes fut Simon Ouchakov.

La peinture d'icône n'a pas disparu de Russie, mais elle est devenue un artisanat.

CI-CONTRE : Nativité (vers 1600)
[Mourom, région de Vladimir].
École de Moscou ; XVIe siècle.
Musée Roublev, Moscou.

CI-DESSOUS : Iconostase de l'église de la Transfiguration
à Kiji, sur les bords du lac Onega (XVIIIe s.).
Kiji est célèbre pour son ensemble d'églises
en dentelle de bois.

vers le nord, jusqu'à la mer Blanche. Les monastères, presque toujours fortifiés, deviennent vite d'importants foyers culturels. Leurs bibliothèques, très riches, comportent des ouvrages sur l'architecture, mais aussi la physique et le symbolisme artistique. Des moines copistes illustrent les manuscrits, comme l'Évangile de Khitrovo. C'est au monastère de Zagorsk que le peintre Roublev reçoit sa formation.

Des peintres italiens s'installent à Moscou

Au XVe siècle, l'architecture de pierre est en déclin. Les architectes russes sont incapables de reconstruire, à Moscou, la cathédrale de la Dormition, bâtie à Vladimir deux siècles plus tôt !

Le tsar Ivan III va donc se tourner vers l'étranger. En particulier vers l'Italie, où l'art de la Renaissance est à son apogée. Des artistes italiens arrivent en Russie, avec une mission : construire des églises de pierre dans le Kremlin de Moscou, mais en respectant le style russe. Un architecte, ingénieur et mathématicien renommé, Fieravanti, érige la cathédrale de la Dormition. Alevisio Novi reconstruit celle de l'Archange Michel, et orne sa façade de décorations à l'italienne.

Du XVe au XVIIe siècle, le Kremlin de Moscou va se parer de tous les palais et toutes les églises que l'on peut admirer aujourd'hui.

La peinture s'épanouit au XIXe siècle

À partir du XVIIIe siècle, la Russie s'occidentalise. Les tsars nouent des contacts politiques et culturels avec l'Europe. La peinture d'icônes laisse peu à peu la place à la peinture de chevalet.

L'art du portrait, avec Dimitri Levitski, et la peinture historique, avec Kiprenski, deviennent prépondérants. La peinture de paysage, apparue à la fin du XVIIIe siècle, explose au XIXe siècle avec Aïazovski. Venetsianov se tourne plutôt vers le paysan russe, Fedotov vers la vie quotidienne des petites gens.

Dans la deuxième moitié du XIXe siècle, l'Académie des beaux-arts, qui imposait aux artistes règles et techniques officielles, perd de son pouvoir. Un groupe de peintres se réclamant du réalisme critique fonde le mouvement qu'on appellera les « Ambulants ». Des artistes comme Levitan, Repine, Sourikov, Kramskoï pensent que la seule mission de l'art est d'éduquer les masses.

Vierge, sur la Nerl, est aussi considérée comme une merveille .

À Novgorod, l'abbatiale Saint-Georges (1152), avec trois absides, trois coupoles, des murs nus en pierre blanche, est un chef-d'œuvre de grâce et de simplicité. Parallèlement aux églises de pierre, on continue à construire des églises de bois. Hélas, les plus anciennes ont disparu, les seules qui nous restent datent du XVIIe siècle. Mais l'architecture en bois remonte probablement à l'époque kiévienne. Les églises de bois avaient un toit très raide à deux pans, surmonté de coupoles, en bois elles aussi. On a compté jusqu'à 21 coupoles sur une

seule église ! Vers le XVIIe siècle, les architectes ont construit des églises-tours, à toiture pyramidale ou conique, pouvant atteindre 60 mètres de haut...

Tout commence dans les monastères

Jusqu'au XIIIe siècle, les monastères sont construits dans les villes. Mais, à partir du XIVe siècle, les moines commencent à préférer la solitude des lieux déserts. Serge de Radonèje fonde le monastère de la Trinité dans la campagne, à 70 kilomètres au nord de Moscou, à l'emplacement de l'actuelle ville de Zagorsk. Beaucoup de ses disciples iront s'installer

CI-DESSOUS : Monastère géorgien de Guelati (XIIᵉ-XIVᵉ s.), région de Koutaïssi.

CI-CONTRE : Stèle arménienne, à Etchmiadzine, siège du catholicos des Arméniens, qu'ils habitent l'Arménie ou soient dispersés à travers le monde.

L'art de l'Asie

L'Asie centrale et le Caucase ont eu une histoire mouvementée. Ces régions ont été envahies plusieurs fois par les Turcs, les Perses, les Arabes, les Romains et différents peuples asiatiques. Chacun y a laissé sa trace.

Les splendeurs de l'architecture géorgienne

La Géorgie, sur la côte est de la mer Noire, a été tour à tour occupée par les Perses, les Macédoniens d'Alexandre le Grand et les Romains. Au IVᵉ siècle, elle adopte le christianisme (la Géorgie tire d'ailleurs son nom de saint Georges). Pendant trois siècles, l'architecture chrétienne se développe, avec la construction de temples et de laures, les monastères de l'Église d'Orient. C'est de cette époque que date l'essor de l'écriture et de la littérature géorgienne. Tiflis (Tbilissi) devient capitale de la Géorgie.

Au VIIᵉ siècle, la Géorgie passe successivement sous la domination arabe et byzantine. C'est en 1122 que le roi David, dit « le Constructeur », chasse les envahisseurs et fonde le premier État

géorgien. Sa petite-fille, la légendaire reine Thamar, va faire de la Géorgie un royaume immense et brillant. Sous son règne, littérature, architecture et peinture sont à l'honneur. Elle fait construire des monastères, des cathédrales, des villes fortifiées. L'ensemble monastique de Guelati, la cathédrale de Mtskheta sont des édifices particulièrement somptueux, avec, pour la cathédrale, des murs couverts de bas-reliefs très raffinés. La littérature, elle aussi, est florissante : l'écrivain Chotha Rousthaveli donne à la Géorgie son plus célèbre poème, le Chevalier à la peau de tigre.

L'histoire de l'Arménie est proche de celle de sa voisine la Géorgie, mais elle est plus tourmentée. Les invasions y ont été plus fréquentes et plus tragiques. Néanmoins, l'Arménie s'est enrichie, au cours du Moyen Âge, de nombreux monastères et églises, souvent décorés de mosaïques, de fresques et de sculptures.

L'art musulman de l'Asie centrale

En Asie centrale, dans les sables du fleuve Amou-Daria, les archéologues ont découvert les restes de la capitale du royaume de Khorezm. Ce royaume, en pleine gloire au Iᵉʳ siècle avant notre ère, était un royaume turc. Il était célèbre pour ses jardins suspendus, ou « jardins d'Éden ». Ourguentch et Khiva, villes de l'actuel Ouzbékistan, en étaient les cités

principales. De cette époque, il nous reste des contes, transcrits en turc au XVᵉ siècle : ceux de Nasreddin Khodja, un poète qui enchanta la cour de Khorezm.

Au VIIIᵉ siècle, la toute jeune religion islamique s'installe en Asie centrale. C'est le début d'un prodigieux essor des beaux-arts. Pendant plusieurs siècles, on construit mosquées, mausolées, medersas, caravansérails et marchés couverts, qui rivalisent d'élégance et de raffinement. Les architectes utilisent la brique comme motif décoratif, par exemple dans le petit mausolée de Boukhara. Mais ce sont les panneaux de céramique noire, blanche, bleue et verte qui sont les plus représentatifs de cet art islamique. Samarkand, Boukhara et Bakou deviennent les foyers de la culture et des arts.

Samarkand devient « la perle de l'Orient »

Quand le Mongol Gengis Khān s'empare de Samarkand, en 1220, c'est un véritable massacre : une bonne partie des

400 000 habitants de la ville périssent. Le redoutable conquérant continue ensuite sa progression jusqu'à la mer Noire. À sa mort, en 1227, il laisse un empire immense et invincible.

Au XIVᵉ siècle, Tamerlan, né à Samarkand, est le maître d'un empire plus vaste encore : il domine jusqu'à l'Inde et l'Asie Mineure. À cette époque, Samarkand va renaître. Capitale de ce puissant empire, carrefour des voies de communication vers l'Inde, la Perse et la Turquie, la ville devient un prodigieux foyer culturel. On la surnomme « la perle de l'Orient ». La plupart des chefs-d'œuvre de l'architecture musulmane, que ce soit la mosquée Bibi-Khānūm, nom de la favorite de Tamerlan, le mausolée Gur-e Mir, qui abrite le tombeau de Tamerlan, ou la fameuse medersa d'Uluğ Beg, ont tous été construits sous le règne de Tamerlan et de son petit-fils Uluğ Beg.

À Boukhara, la grande mosquée Kalan et la medersa Mir 'Arab, le seul séminaire islamique d'U.R.S.S. encore en activité, témoignent de l'opulence des cheiks du XVIᵉ siècle.

L'ASIE CENTRALE, BERCEAU DES SCIENCES

■ Au Xᵉ siècle, la science s'épanouit en Asie centrale. Ibn al-Haytham écrit un *Traité de l'optique* qui sera traduit en latin. Al-Biruni traduit en sanskrit les *Éléments* du mathématicien grec Euclide, et élabore ses travaux sur l'astronomie, l'histoire, la minéralogie et la géographie. Il écrit environ 150 ouvrages !

Merv, aujourd'hui « Mary », importante cité caravanière de l'Antiquité, est aussi un grand centre scientifique. Au Xᵉ siècle, ses bibliothèques possèdent 120 000 ouvrages ! Les califes y construisent un observatoire important, où le célèbre poète et mathématicien du XIIᵉ siècle, Omar Khayyām, travaillera à réformer le calendrier persan.

Enfin, et toujours à la même époque, vit Avicenne, un des personnages les plus extraordinaires de toute l'histoire des civilisations. Il est l'auteur du *Canon de la médecine*, le deuxième livre, après la Bible, à avoir été imprimé.

Quatre siècles plus tard, à Samarkand, le prince Uluğ Beg fait construire le plus grand observatoire d'Orient. Ce monarque éclairé, qui est aussi un grand astronome, invite de nombreux artistes et savants originaires de Chine, de Perse et de Syrie. La renommée de sa medersa et de son observatoire va vite devenir intolérable à une secte de fanatiques mollahs, qui décident de le tuer. Il est décapité et son corps est enterré au mausolée Gur-e Mir, près de celui de Tamerlan.

Hommage sans doute involontaire du XXᵉ siècle à l'âge d'or des sciences arabes, c'est de la station spatiale de Baïkonour, au Kazakhstan, qu'est parti le premier homme à la conquête de l'espace.

Langues et littérature

À l'époque où les princes régnaient sur la Russie, des poètes du genre de nos trouvères, les *gousliary*, chantaient à la cour. Les poèmes épiques qu'ils récitaient sont appelés *bylines*. Ces bylines racontent l'histoire de valeureux chevaliers capables de prouesses, les *bogatyrs*, qui étaient par exemple, au service du prince Vladimir, dit « le Beau Soleil ». Ilia de Mourom est le plus populaire d'entre eux. Ou bien les bylines parlent du riche marchand Sadko, reçu et comblé de cadeaux par le roi de la Mer.

Dans les territoires éloignés de Kiev, des héros au grand cœur nourrissaient aussi la poésie épique : Amirini le Géorgien, Roustam le Tadjik, David Sassountsi l'Arménien, Latchplesis le Lituanien, Djangar le Kalmouk...

Au XIXe siècle, Nikolaï Afanassiev, réunit les contes de la tradition orale qui nous permettent de connaître Baba-Yaga, l'intrépide sorcière russe.

Le XIXe siècle sous le signe de Pouchkine

Avant le XVIIIe siècle, la littérature écrite comprend surtout des chroniques religieuses ou laïques. Le manuscrit le plus ancien date de 1056, c'est l'*Évangile d'Ostromir*.

Les plus célèbres écrits sont, sans contexte, le *Dit de la campagne d'Igor* (XIIe siècle), qui retrace une expédition malheureuse entreprise par deux cousins du prince Sviatoslav, et la *Zadonchtchina*, qui chante la bataille de Koulikovo, première victoire russe sur les Tatars (XVe siècle).

Le XVIIIe siècle marque les prémices de la littérature russe. Mais les œuvres sont surtout de pâles imitations de la littérature de l'Occident, écrites sur le mode classique ou sentimental.

C'est Alexandre Pouchkine qui va fonder la littérature et la langue modernes. Il travaille le russe jusqu'à obtenir une langue épurée et limpide et s'attaque à tous les genres : poésie (*Eugène Onéguine*), épigrammes, théâtre (*Boris Godounov*), prose (*la Fille du capitaine*). Pouchkine participe activement à la vie politique, il est un ami des décembristes qui seront exilés en Sibérie en 1825. Quand il meurt, tué dans un duel à 38 ans, la littérature russe est née.

Le romantisme enflamme les écrivains pendant les trente premières années du siècle. Lermontov en est le plus brillant représentant.

Les grands ténors du XIXe siècle

Dans les années 1840, c'est le réalisme qui l'emporte. Gogol (1809-1852) peint le milieu des fonctionnaires russes. Souvent, comme dans la nouvelle *le Manteau*, son réalisme confine au fantastique. Tolstoï (1828-1910) est le peintre des grandes familles, des fresques historiques, « le grand écrivain de la terre russe », a dit de lui Tourgueniev. Avec *Guerre et Paix* et *Anna Karenine*, il a atteint une gloire mondiale. Dostoïevski (1821-1881) s'intéresse aux passions destructives, aux forces du Mal. *Les Frères Karamazov* et *Crime et Châtiment*, comme tous ses romans, sont puissants, sombres et torturés. Tourgueniev (1818-1883) est tourné vers la campagne. Il est celui qui a lutté pour l'abolition du servage (*les Récits d'un chasseur*) et qui a parlé le premier, dans *Pères et Fils,* du mouvement nihiliste qui secouait la Russie. Tchekhov (1860-1904) dresse le tableau de la société à la veille de la révolution. Il regarde s'effondrer la vieille Russie tsa-

PAGE CI-CONTRE, À GAUCHE : Alexandre Pouchkine. Détail d'un portrait par Kiprenski (XIXᵉ s.). Galerie Tretiakov, Moscou.

CI-CONTRE : Tolstoï et Gorki, chefs de file de deux générations d'écrivains, en 1900.

CI-DESSUS : Fedor Dostoïevski, le grand penseur de la littérature russe, par Perov (1872). Musée Dostoïevski, Moscou.

CI-CONTRE À GAUCHE : Scène de *la Mère,* pièce de Gorki, montée par le théâtre de la Taganka, qui fut longtemps le symbole de l'avant-garde à Moscou.

CI-DESSOUS : Anton Tchekhov, dont les pièces seront portées sur toutes les scènes du monde. Photographie de 1890.

riste et traduit sa résignation dans des pièces de théâtre (*la Cerisaie, les Trois Sœurs*).

La littérature explose au XXᵉ siècle

La révolution littéraire devance la révolution sociale. Dès la fin du XIXᵉ siècle commence l'« âge d'or ». Des écrivains comme Biélyï, Blok, Mandelstam, Akhmatova, Khlebnikov font exploser la poésie en créant une multitude de courants littéraires. C'est le triomphe du symbolisme, puis de l'acméisme et du futurisme.

Après la révolution, beaucoup d'entre eux émigrent ou cessent d'écrire. Pourtant, les années 1920 sont une période de grande créativité poétique et culturelle. Le plus fougueux de tous les révolutionnaires est Vladimir Maïakovski, qui dit lui-même brandir ses vers « comme une carte du parti » !

La glaciation stalinienne des années 1930 étouffe la voix des poètes, des romanciers et des dramaturges, comme Marina Tsvetaïeva, Mikhaïl Boulgakov ou Andreï Platonov. Les canons du « réalisme socialiste » laissent dans la marge toutes les formes d'art non-conformistes.

Le « dégel » commence avec le XXᵉ Congrès du parti, en 1956. En autorisant une plus grande autonomie esthétique, le parti ouvre involontaire-

ment la voie à une littérature « dissidente », aux frontières mal définies. À maints égards, les romans d'un Iouri Trifonov, écrivain pourtant officiel, sont porteurs d'une force contestataire égale à celle des romans d'Alexandre Soljenitsyne, chef de file de la littérature dissidente.

Le renouveau amorcé dans les années 1960 a abouti à une plus grande diversité dans les thèmes et les genres, du plus noble au plus populaire, comme le roman de science-fiction, représenté avec beaucoup de talent par les frères Strougatski.

QUELLES LANGUES PARLE-T-ON EN U.R.S.S. ?

■ Le russe est à la fois la langue officielle de la République de Russie, une des 15 républiques de l'U.R.S.S., et celle de toutes les nationalités de l'U.R.S.S. C'est à ce titre que le russe fait partie des six langues officielles de l'O.N.U.

La situation linguistique du pays est à la fois riche et conflictuelle. En effet, 130 langues coexistent, et certaines ont, sur leur territoire, une importance plus grande que le russe. Par exemple, en Asie centrale ou dans les pays Baltes. La plupart de ces langues n'utilisent pas l'alphabet cyrillique.

Pendant la période stalinienne, on a obligé des peuples qui ne possédaient qu'une langue orale à la transcrire dans l'alphabet cyrillique. Cela devait servir à promouvoir la langue écrite. Ainsi, le bachkir, parlé au sud de l'Oural, et le kirghiz, parlé en Asie centrale, reçurent successivement l'alphabet arabe, après la révolution, l'alphabet latin, dix ans plus tard, et l'alphabet cyrillique, en 1940. Les langues qui résistèrent le mieux à ce grand mouvement de russification furent l'arménien, le géorgien, le lituanien, le letton, l'estonien et les langues du groupe turc.

Il est difficile de faire le tour de toutes les langues parlées en U.R.S.S., mais on peut les classer en grandes familles.

— trois langues slaves : le russe, autrefois appelé

« grand-russe » ; l'ukrainien, ou « petit-russe » ; et le biélorusse, ou « blanc-russe ». Les autres langues slaves, polonais, tchèque, serbo-croate (parlé en Yougoslavie) et bulgare, ne sont pas représentées en U.R.S.S.

— des langues indo-européennes autres que le slave : l'arménien, les langues baltes (letton et lituanien), quelques langues iraniennes parlées près de la frontière sud (tadjik, ossète, kurde, et langues du Pamir) et une langue romane, le moldave, parlée près de la frontière roumaine.

— des langues caucasiques, parlées dans le Caucase : géorgien, ingouche, abkhaz, tchétchène, avar, adygué, kabardine.

— des langues altaïques, représentées surtout en Asie centrale, avec le groupe turc (ouzbek, azéri, kazakh, nogaï, tatar, bachkir, kirghiz, yakout), le groupe toungouze (evenki) et le groupe mongol (bouriate, kalmouk). Les langues turques occupent la deuxième place, après le russe, pour le nombre de locuteurs.

— les langues ouraliennes du Nord ou de la Sibérie occidentale, avec le groupe samoyède (yourak) et le groupe finno-ougrien (estonien, carélien, mordve, tchérémisse, votyak, ostiak, mari, mansi, nenets...).

— les langues paléo-asiates d'Extrême-Orient (tchouktche, koriak, aléoute...).

La musique

La musique moderne, l'opéra et le ballet sont arrivés en Russie au XVIIIe siècle, avec l'ouverture sur l'Occident. Dès le XIXe siècle, ils s'étaient adaptés au terroir russe, pour donner des œuvres parfaitement originales. Ainsi, Mikhaïl Glinka (1804-1857), souvent considéré comme le père de la musique russe, réussit à unir l'inspiration populaire traditionnelle à l'« art de la fugue » dans un opéra comme *Rouslan et Ludmilla*.

À sa mort se constitue le groupe des Cinq, avec Balakirev, Borodine, César Cui, Moussorgski et Rimski-Korsakov. Le but de ces cinq artistes, tous dilettantes, est simple : rénover l'art musical en s'inspirant des contes, des légendes et des mélodies du folklore russe, selon les principes établis par Glinka. Borodine crée *le Prince Igor*, inspiré des épopées du XIIIe siècle. Moussorgski s'illustre par son drame historique *Boris Godounov* et par *Une nuit sur le mont Chauve*, tout imprégnée d'Asie centrale. Inspiré lui aussi par l'Orient, Rimski-Korsakov compose *Shéhérazade*.

Tchaïkovski, contemporain du groupe des Cinq, s'en tient à l'écart. Sa musique est plus élégiaque, plus suggestive. Il compose des symphonies (la sixième est la plus connue) et des musiques de ballet, comme *le Lac des cygnes*.

Tous ces compositeurs de talent font triompher l'opéra russe et suscitent des vocations. À la fin du XIXe siècle, l'éducation musicale se répand, des conservatoires ouvrent à Moscou, à Saint-Pétersbourg.

Avec l'« âge d'or », qui commence dans les années 1900, apparaissent de jeunes et brillants compositeurs. Alexandre Scriabine et Igor Stravinski composent les nouveaux chefs-d'œuvre du ballet : *le Poème du feu, l'Oiseau de feu, le Sacre du printemps*. En combinant musique, chorégraphie et décors, ils expriment parfaitement l'esthétique raffinée de cette époque. Rachmaninov, contemporain des deux musiciens précédents, est un cas à part : il a composé jusqu'aux années 1940, en restant indifférent aux innovations de l'époque. Par son romantisme, il reste fidèle à Tchaïkovski.

C'est également de cette époque que datent les Ballets russes. De la période soviétique, on connaît le style néoclassique de Prokofiev, le créateur de *Pierre et le Loup* ou de musique de ballet (*Cendrillon*). Chostakovitch, influencé par la technique dodécaphoniste de Schönberg, doit adopter par la suite des formes plus simples, plus adaptées à la loi du réalisme socialiste, en vigueur après la révolution. Khatchatourian, que l'on connaît surtout pour sa *Danse du sabre*, s'inspire avant tout du folklore de l'Arménie, son pays natal.

Aujourd'hui, la création rock prend une importance considérable. Plusieurs milliers de groupes se sont constitués en U.R.S.S. et ont été reconnus officiellement. À sa manière, la musique rock soviétique représente une nouvelle synthèse entre un langage musical nouveau, inspiré bien sûr de l'Amérique, et des rythmes plus traditionnels : ce phénomène est surtout frappant dans la musique rock venue d'Asie centrale.

La danse

Au XIXe siècle, les Russes cultivés adoraient les spectacles de ballet. En particulier, quand la troupe était française. C'est pourquoi, en 1847, le Marseillais Marius Petipa est invité à l'école de ballet de Saint-Pétersbourg. Douze ans plus tard, il devient maître de ballet au Théâtre impérial et commence à Saint-Pétersbourg une carrière qui durera cinquante ans.

Au début du XXe siècle, la tradition est bousculée par une nouvelle génération de chorégraphes et de danseurs, réunis dans les Ballets russes de Diaghilev. Diaghilev veut réaliser la synthèse de tous les arts et de toutes les techniques. Il s'entoure donc des meilleurs, dans tous les domaines. Si cette troupe fait un triomphe en Occident, c'est grâce à ses inoubliables danseurs, Vaslav Nijinski, Anna Pavlova et Tamara Karsavina, au chorégraphe Michel Fokine, au chanteur

THE THEATRE

Chaliapine et à ses décorateurs géniaux Benois, Bakst et Korovine, qui créèrent la première école de décorateurs de théâtre du monde. Aujourd'hui, les Ballets du théâtre Kirov, ancien théâtre Marie, ont hérité de cette brillante tradition.

À Moscou, le Bolchoï (ce qui signifie en russe « Grand » théâtre) date du XVIIIᵉ siècle. Durant le XIXᵉ siècle, l'opéra russe doit s'imposer contre l'opéra italien, très à la mode dans l'aristocratie russe. Le Bolchoï sera d'ailleurs loué pendant dix ans à une troupe italienne, de 1860 à 1870. L'essor de l'opéra et du ballet commence autour de cette date, avec le *Lac des cygnes, Eugène Onéguine, la Belle au bois dormant,* sur des musiques de Tchaïkovski. Les plus grands chorégraphes (Gorski), les plus grands décorateurs (Golovine), les plus grandes voix (Chaliapine) et les plus grands musiciens feront la gloire du Bolchoï.

Les arts plastiques

En arts plastiques, les années 1920 sont étroitement liées à l'« âge d'or » de la littérature russe et aux courants artistiques européens. Après l'explosion artistique du début du siècle, les Ballets russes deviennent un tremplin pour des peintres comme Chagall, Gontcharova et Larionov, qui y font leurs débuts.

Kandinski, pour sa part, réagit à ce courant qu'il juge « trop décoratif ». S'interrogeant sur l'unification croissante des arts, il pose les fondements de la nouvelle peinture : il faut faire disparaître l'objet. C'est la naissance de l'art abstrait.

Malevitch en est un des plus brillants représentants. Il fonde le suprématisme, synthèse du cubisme et du futurisme. Très vite, Malevitch devient la cible des zélateurs de l'art réaliste. Dans les années 1920 toujours, un autre courant apparaît : c'est le constructivisme, animé par Rodtchenko, Stepanova, Lissitsky, les frères Stenberg et Tatline. Les constructivistes cherchent à renouveler les formes, dans l'architecture comme dans la littérature. Ils s'expriment dans les arts décoratifs, l'affiche, le mobilier, le graphisme. Leur esthétique « de gauche », engagée dans le mouvement révolutionnaire, ne les met guère à l'abri de la suspicion : l'art officiel leur reproche leur sensibilité écologique « anti-urbaniste », qui remet en cause l'architecture de l'époque stalinienne.

LE CINÉMA SOVIÉTIQUE

■ Le cinéma s'impose en pleine tourmente révolutionnaire, avec les essais de Vertov. Vertov n'a qu'un mot d'ordre : « La vie telle qu'elle est, et la vie prise sur le fait. »

Dans les années 1920, le cinéma passionne les jeunes metteurs en scène : Eisenstein réalise *le Cuirassé Potemkine,* Poudovkine, *la Mère,* Dovjenko, *la Terre...* Le gouvernement soviétique accorde un budget important à l'industrie cinématographique, ce qui permet au cinéma du début du siècle de rivaliser avec les meilleures productions mondiales.

Les républiques méridionales, et notamment la Géorgie, s'associent dès le départ à l'essor du septième art et donnent bientôt des chefs-d'œuvre tels que *Elisso,* de Nikolaï Chenguelaïa.

Après les années noires du stalinisme, il faut attendre le dégel des années 1950 pour assister à la renaissance d'un cinéma original (Choukchine, Tarkovski, Mikhalkov, Bondartchouk...). Avec les metteurs en scène Serge Paradjanov (*les Chevaux de feu*), Tenguiz Abouladze (*l'Arbre du désir*), Otar Iosseliani (*Il était une fois un merle chanteur*), Georges Chenguelaïa (*Pirosmani*), le cinéma géorgien s'est taillé une place exceptionnelle dans le cinéma soviétique.

51

La vie quotidienne

Une éducation planifiée

« Le but de l'éducation nationale en U.R.S.S. est de préparer des constructeurs actifs de la société communiste, hautement qualifiés et harmonieusement développés, éduqués par les idées du marxisme-léninisme dans l'esprit du respect des lois soviétiques et de l'ordre juridique socialiste, et d'une attitude communiste à l'égard du travail... » Telle est la mission de l'enseignement en U.R.S.S., définie par la loi du 19 juillet 1973. Aujourd'hui, cependant, les spécialistes de l'éducation sont obligés d'avoir une vision plus pragmatique de l'enseignement, avec moins de doctrine, pour se rapprocher des priorités avancées par les pays de l'Ouest.

Le système d'enseignement soviétique comprend quatre secteurs : l'enseignement primaire et secondaire général, l'enseignement technique et professionnel, l'enseignement secondaire et spécialisé, enfin, l'enseignement supérieur. Sans oublier l'enseignement préscolaire qui inculque aux tout jeunes enfants les principes élémentaires soviétiques.

L'enseignement secondaire général est obligatoire pour tous les enfants de 7 à 16 ans. Après la huitième, l'adolescent peut suivre ses études dans les écoles d'enseignement général, ou dans des établissements d'enseignement secondaire et spécialisé. Il peut encore entrer dans une école professionnelle et technique ; avec l'apprentissage d'un métier, il recevra l'instruction secondaire complète. Pour rapprocher l'école de la vie économique, la formation professionnelle fait partie des programmes de ces établissements secondaires. Des stages dans les entreprises sont obligatoires pour les élèves des classes terminales. Souvent, ces entreprises parrainent les écoles, aident à l'organisation de cours du soir et de l'enseignement par correspondance.

L'État soviétique a toujours cherché à fixer le nombre d'élèves dans ses établissements en fonction de la situation de l'emploi dans chaque secteur ; d'où l'affectation d'office de l'élève en fin de scolarité et le système de concours qui limite l'accès à l'enseignement supérieur. La moitié des étudiants de l'enseignement supérieur sont orientés vers des formations techniques ; les facultés ont des spécialisations très restreintes qui réduisent l'éventail des carrières. L'introduction d'un système plus souple est à l'étude. Une attention toute particulière est accordée aux sciences. La formation des cadres scientifiques est confiée au ministère de l'Enseignement supérieur et secondaire spécialisé et aux nombreux instituts de l'Académie des sciences (l'Académie des sciences de l'U.R.S.S. est l'établissement scientifique suprême du pays). Ces instituts, répartis à travers tout le territoire, assurent la direction des recherches dans tous les secteurs scientifiques.

PAGE CI-CONTRE, À GAUCHE : Enfants d'une école maternelle en promenade à Odessa.

CI-CONTRE : La jeune gymnaste Natalia Lachtchenova, une des étoiles du sport soviétique.

CI-DESSOUS : Les échecs ; une passion qui a donné à l'U.R.S.S. les plus grands joueurs du monde.

Le sport en vedette

Dès sa fondation, l'U.R.S.S. a accordé une grande importance à la pratique de la culture physique et du sport. Obligatoire dès l'âge de 7 ans, l'éducation sportive fait partie des programmes d'études dans toutes les écoles et les établissements d'enseignement supérieur. En outre, ceux qui veulent faire du sport d'une manière organisée adhèrent aux sociétés sportives bénévoles. Celles-ci organisent de nombreuses compétitions et initient les jeunes aux diverses disciplines.

Les sports les plus populaires en U.R.S.S. sont le football, l'athlétisme, le hockey sur glace, le basket-ball, le patinage artistique, la gymnastique et le cyclisme.

Pour permettre à tous de pratiquer le sport, des milliers de stades et de terrains de jeux ont été construits ces dernières années. Chaque ville possède au moins plusieurs gymnases, des terrains de football et un stade. Les jeux Olympiques de 1980 ont accéléré les constructions et la modernisation des ouvrages sportifs, à Moscou, Leningrad, Tallin, Kiev et Minsk. Moscou est particulièrement bien équipée (près de 3 000 stades). Cette pratique intensive du sport explique la moisson de médailles glanée par les Soviétiques lors de chacun des jeux Olympiques. À Séoul, en 1988, l'équipe d'U.R.S.S. a gagné 132 médailles dont 55 d'or.

Les fêtes sportives

La plupart des fêtes nationales sont accompagnées de parades sportives. Pour le 7 novembre, jour anniversaire de la révolution d'Octobre, et pour le 1er mai, jour de la fête du Travail, un défilé de sportifs porteurs de drapeaux flamboyants anime la grande manifestation sur la place Rouge de Moscou. Devant les tribunes où siège le gouvernement, ce défilé suit la parade militaire et précède des ouvriers et des étudiants. Dans tout le pays, les compétitions sportives sont très populaires. Ainsi, tous les quatre ans, les Spartiakades sont l'occasion de grandes joutes sportives au niveau national, stimulant l'intérêt des jeunes pour le sport. Ces jeunes Soviétiques connaissent une vie sportive intense pendant les camps d'été, qui se terminent toujours par une fête avec de nombreuses compétitions et des remises de médailles.

LES JOURS FÉRIÉS

■ Les jours fériés institués par le calendrier soviétique se sont substitués aux anciens jours fériés religieux. Les huit principaux jours fériés sont : le 1er janvier, jour du nouvel an ; le 8 mars, journée de la Femme ; les 1er et 2 mai, fête du Travail ; le 9 mai, fête de la Victoire ; les 7 et 8 novembre, fête de la Révolution d'Octobre ; le 5 décembre, fête de la Constitution.

La religion

La conception soviétique de l'organisation de la société supposait jusqu'à une date récente qu'aucune institution ne doit échapper au contrôle du parti communiste. L'organisation révolutionnaire, pendant des décennies, a mené une politique antireligieuse acharnée. Si l'article 124 de la Constitution reconnaît aux citoyens la liberté de pratiquer les cultes religieux, cette notion doit être comprise au sens restreint du terme. La surveillance des cultes est assurée par le Conseil pour les affaires religieuses, proche du Conseil des ministres de l'U.R.S.S.

L'institution religieuse la plus importante est l'Église orthodoxe russe, dirigée par le patriarche de Moscou et de toutes les Russies, et le saint-synode, institué par Pierre le Grand.

Les Églises orthodoxe arménienne et géorgienne ont chacune leur patriarcat, respectivement à Etchmiadzine et à Mtskheta. Les Églises uniate (Ukraine et Biélorussie), catholique romaine (Lituanie, Lettonie et Ukraine), évangélique (pays Baltes et Sibérie), luthérienne (pays Baltes), calviniste (Carpates), méthodiste (Lituanie) sont inégalement représentées dans le pays. Elles bénéficient, en général, d'un important retour aux valeurs religieuses, souvent doublé d'une quête d'identité nationale.

Ce renouveau religieux considérable s'explique par la remise en cause, ces dernières années, de la politique de répression qui précéda Gorbatchev. La crise politique et sociale que traverse le pays est également à l'origine de cette résurgence.

L'Église orthodoxe

L'Église orthodoxe russe demeure la forme la plus importante du christianisme en U.R.S.S. par le nombre de ses fidèles et son influence. Elle est en effet dépositaire de l'histoire et de la culture russes. Les grandes manifestations qui ont marqué le millénaire du baptême de la Russie, en 1988 (anniversaire de la décision du prince Vladimir de Kiev d'établir le christianisme orthodoxe comme religion d'État), ont pris un caractère officiel. Le renouveau religieux dont témoigne cet événement prend en

partie sa source dans la crise des valeurs idéologiques sur lesquelles s'appuie le système soviétique. Cela se traduit par une expression de plus en plus marquée des préoccupations religieuses dans les médias. De nombreuses églises sont aujourd'hui rendues au culte et restaurées, souvent à l'issue d'initiatives « informelles ».

Le judaïsme

En U.R.S.S., les juifs sont considérés non pas comme une communauté religieuse mais comme une nationalité (inscrite sur leur carte d'identité). Après une période de libre expression culturelle, les juifs subissent sous le stalinisme la remise en cause de leurs institutions culturelles et religieuses (la langue yiddish eut à

essuyer de violentes attaques sous prétexte de lutte contre les particularismes religieux). Les dernières années de l'ère de Staline sont marquées par une offensive concertée contre le cosmopolitisme assimilé au sionisme. Malgré les timides aménagements des années 1950-1960, un profond malaise persiste dans la communauté juive. À partir de 1970, de nombreux juifs ne trouvent une issue que dans l'émigration. La majorité d'entre eux se rend aux U.S.A. tandis qu'une minorité choisit Israël. Avec la perestroïka et le début de normalisation des relations avec Israël, des perspectives d'intégration et de libre choix semblent s'offrir à la communauté juive, qui découvre à l'intérieur de la société soviétique de nouvelles possibilités d'expression et d'organisation.

CI-CONTRE : Le monastère de
la Trinité-Saint-Serge à Zagorsk.

CI-DESSOUS : Intérieur de
la synagogue de Tbilissi.
La communauté juive
de Géorgie a su garder son identité.

CI-DESSUS : Musulmans à
la mosquée de Samarkand.
Les traditions musulmanes sont très
respectées dans toute l'Asie centrale.

CI-DESSOUS : Masque chamanique. Diverses
formes d'expression artistiques et rituelles
sont encore pratiquées en Sibérie orientale.

L'islam

Deuxième religion de l'U.R.S.S. (45 millions de musulmans contre 50 millions d'orthodoxes), l'islam est pratiqué dans trois régions principales : l'Asie centrale, le Caucase et la Moyenne-Volga.

La population autochtone de l'Asie centrale est à plus de 90 p. 100 musulmane. C'est l'islam qui a le plus souffert de la révolution. La victoire des bolcheviks sur les guérillas musulmanes, à la fin des années 20, a été suivie d'une longue succession de purges qui ont supprimé physiquement nationalistes et communistes musulmans. Le contrôle de ces régions par les cadres russes n'a pas réussi à extirper la « déviation nationaliste ».

Le foyer caucasien comprend l'Azerbaïdjan et les montagnes du Nord-Caucase (Abkhazie). La présence de fortes minorités arméniennes et russes jouissant d'un niveau de vie plus élevé attise les rancœurs sociales et exacerbe l'intolérance religieuse. Les musulmans d'Azerbaïdjan appartiennent au mouvement chiite.

La région de la Moyenne-Volga et de l'Oural est celle des Tatars. Kazan, célèbre pour son université que fréquentèrent Tolstoï et Lénine, fut pendant des siècles le cœur de l'islam russe.

Parmi les musulmans d'U.R.S.S., notons encore les 100 000 Kurdes recensés sur le territoire.

Le bouddhisme

En Extrême-Orient, les Bouriates (Mongols) sont le peuple bouddhiste le plus important d'U.R.S.S. (moins de 400 000). Les Kalmouks (autre peuple bouddhiste et mongol) ont été éliminés de la carte ethnographique après l'abolition de la république kalmouk en 1943 et la déportation de son peuple, mais ils ont été réhabilités et la république restaurée en 1958.

Après les concessions faites au bouddhisme, au moment de la révolution, des campagnes antireligieuses successives entraînèrent la fermeture des monastères, et les lamas furent privés des droits civiques. Aujourd'hui, le pouvoir se montre beaucoup plus tolérant. Les lamas sont consultés par les chercheurs, en qualité de spécialistes de la « médecine tibétaine ».

Une même curiosité entoure les pratiques magiques du *chamanisme* chez les peuples du Grand Nord (pays tchouktche).

LES FÊTES RELIGIEUSES

■ L'Église orthodoxe russe étant restée fidèle au calendrier julien (institué par Jules César), les fêtes fixes sont décalées de 13 jours par rapport au calendrier grégorien en usage en Occident. C'est Pâques qui est la plus joyeuse et la plus importante des fêtes. Tout le monde y participe, même les non-croyants, qui viennent regarder les processions nocturnes, le soir de Pâques, autour des églises. Après une longue préparation, sept semaines de carême, le soir de Pâques est le point culminant de la semaine sainte, avec sa liturgie nocturne, ses ornements magnifiques, ses encensements multiples et la richesse de ses mélodies. Le repas pascal, pris après l'office, en famille, a été préparé selon des rites précis. On y trouve la *paska*, fromage blanc garni de cannelle et de raisins, le *koulitch*, cake aux fruits confits, et les œufs multicolores que l'on offre en cadeau.

Pendant les années staliniennes, peu à peu, les fêtes de Noël et du jour de l'an se confondirent.

Les fêtes musulmanes sont l'occasion de réjouissances familiales et de fastes importants. Il n'est d'ailleurs pas aisé de faire la distinction entre foi et rituels traditionnels. Ainsi, les rites de la circoncision et du kourban-baïram, très pratiqués en Asie centrale (61 p. 100 des Turkmènes y sont attachés), ont perdu en partie leur contenu religieux. Cela indique que les principes de l'éthique religieuse se confondent avec ceux de la culture nationale.

Les médias

L'U.R.S.S. publie plus de 8 000 journaux et plus de 5 600 revues et périodiques en 58 langues différentes. La politique de *glasnost* inaugurée par la *perestroïka* a remis en question la mission attribuée à la presse pendant des décennies. Sa fonction était en effet de diffuser l'idéologie et la politique du parti. Par la publication du courrier des lecteurs, critiquant les multiples abus de l'administration, elle servait également d'instrument de contrôle des services publics.

Pris dans un carcan institutionnel qui déterminait à chaque instant ce que l'on devait ou non publier, journalistes et écrivains disposaient d'une liberté d'expression très restreinte. La direction du parti pouvait à tout instant révoquer un journaliste ou modifier un comité de direction. Le cas le plus célèbre est la démission d'Alexandre Tvardovski, rédacteur en chef de la revue *Novy Mir*, en 1970, après la modification du comité de rédaction.

La toute-puissance des organes de censure a entraîné pendant l'ère Brejnev la multiplication des publications clandestines (*samizdat*) et un malaise général de la presse, qui s'accommodait de plus en plus difficilement de ce contrôle étroit.

Conséquences de la glasnost

La glasnost a considérablement diminué les pouvoirs de ces organes de contrôle idéologique et a encouragé l'autonomie des comités de rédaction. La liberté d'expression qui s'est imposée dans la presse a radicalement modifié le contenu et le ton des articles. Les conflits d'idées s'expriment désormais au grand jour et les courants de pensées antagonistes ont leurs organes de presse. Loin de l'uniformité de naguère, les journaux et revues soviétiques sont traversés par des débats houleux qui font réfléchir les Soviétiques.

La *Pravda*, organe du Comité central du parti, se montre moins hardie dans la campagne de dénonciation du passé que les *Izvestia*, organe du gouvernement. Deux hebdomadaires se trouvent à la pointe de la perestroïka : *Ogoniok* et *les Nouvelles de Moscou*. L'audace de leurs attaques et l'intransigeance de leurs professions de foi démocratique leur valent beaucoup d'ennemis dans l'appareil du parti et chez les nationalistes russes (mouvement *Pamiat*). Ces derniers s'expriment dans les revues *Nach Sovremennik* (Notre Contemporain) et *Moskva*, ainsi que, dans une moindre mesure, dans le journal des Komsomols *Molodaïa gvardia* (la Jeune Garde). D'autres revues et journaux encore, au tirage moins important, soutiennent la politique de libéralisation : *Znamia, Kommounist, Novy Mir, Literatournaïa Gazeta*. Cet hebdomadaire, le préféré des intellectuels, occupe une place particulière dans la presse soviétique. Bien qu'il soit l'organe du Syndicat des écrivains, il peut se permettre, avec parfois des retours en arrière en matière d'idéologie et de politique étrangère, de parler des problèmes de société avec une grande liberté. Les sujets tabous y sont souvent abordés. De plus, il sonde l'opinion, publie ses conclusions et suggère des réformes audacieuses.

Chaque république fédérée a sa presse en langue nationale et en langue russe.

L'agence Tass est la principale source d'informations étrangères et la spécialiste des informations intérieures. L'agence Novosti joue un rôle complémentaire en diffusant à l'étranger des informations

КРОКОДИЛ

№ 6 — ФЕВРАЛЬ 1989

Рисунок А. МЕРИНОВА.

Кто роет братскую могилу
для сайгаков? Об этом вы
узнаете на стр. 4.

CI-CONTRE : *Krokodil,* l'hebdomadaire satirique qui brocarde les vices de la bureaucratie.

CI-DESSOUS : Bibliothèque dans une maison de repos, en Lituanie.

couvrent une passion tout à fait nouvelle pour le petit écran… Un programme matinal intitulé « 120 minutes » propose dès 6 h 30 de vigoureux débats qui alimentent les conversations. L'émission « Résonance » est également très appréciée, ainsi que « Point de vue », présentée le vendredi soir. Une concurrence bénéfique s'installe entre les chaînes diverses : la chaîne de Leningrad jouit à Moscou d'un taux d'écoute remarquable.

LES CLUBS INFORMELS

■ Les clubs sont une des nouveautés introduites par la *perestroïka* : écologie, histoire, politique, religion, etc, constituent les thèmes privilégiés. Ils deviennent les lieux de rencontre de ceux qui étaient autrefois exclus ou privés de parole, tels les invalides, les collectionneurs ou les minorités nationales qui peuvent aujourd'hui se doter de structures et obtenir des locaux. Ce phénomène commence à modifier sensiblement l'environnement des grandes cités. Parallèlement à la place que leur offrent certains organes de presse, les « informels » cherchent à obtenir l'ouverture de canaux d'expression propre (bulletins et programmes locaux grâce aux réseaux câblés). Mais ce développement rapide est entravé par les ambiguïtés d'une loi qui laisse de nombreuses zones d'ombre dans la gestion de l'expression publique. Il reste que l'U.R.S.S., grâce à ce phénomène, est en train de façonner une convivialité qui lui faisait défaut.

sur l'U.R.S.S. et, en U.R.S.S., des informations sur les pays étrangers.

Télévision et radio

La télévision et la radio soviétiques, qui dépendent de comités d'État fédéraux et républicains, connaissent un renouveau comparable à celui de la presse : des émissions en direct sont diffusées régulièrement, des documentaires sans concession montrent au pays des réalités bien éloignées des images d'Épinal d'autrefois. Les programmes font une large place aux problèmes de société (écologie, justice, mœurs, etc.) et à la diffusion de téléfilms de qualité et de films étrangers. Et les téléspectateurs soviétiques se dé-

La gastronomie

Elle est aussi variée que les coutumes qui se sont façonnées dans ces vastes étendues.

À la table du Lapon, on trouve du rôti et du fromage de renne, de la crème confite aux baies de Sibérie. Chez les Kirghiz, on boit du *koumys*, lait de jument fermenté, ainsi que chez les Bachkirs, qui préparent en outre de délicieuses galettes au miel. En Asie centrale, le *chachlik* (brochettes de viande), le *plov* (ragoût de mouton), les *manty* (sorte de raviolis) et la *lepiochka* (galette) sont les mets les plus courants. En Géorgie et dans le Caucase, la galette s'appelle *khatchapouri* et la bouillie de polenta *mamalyga*. La *tchatcha* est l'eau-de-vie et l'*isabella*, un vin géorgien très réputé, autrefois servi dans une corne. Le cochon de lait et les cailles rôties figurent parmi les nombreux plats au menu des festins.

La cuisine russe est riche et savoureuse. On connaît surtout ses *zakouskis* (hors-d'œuvre) composés de caviar, de poisson fumé et mariné (saumon, balyk, kilki et hareng), de champignons marinés et de *malossols* (concombres marinés au sel) qui accompagnent agréablement la vodka. En Russie, les fruits marinés sont servis en hiver avec les viandes, à la place des salades. Les pommes conservées dans le chou mariné en tonneau constituent un des plats les plus populaires. La *kacha* de sarrazin accompagne le *borchtch* (potage au chou et à la betterave d'origine ukrainienne) ou sert de farce à l'oie rôtie. Le *chtchi* est un potage à la choucroute et aux champignons secs. Les sauces aigres-douces aux raisins secs, aux concombres salés ou au raifort relèvent viandes et poissons. Les *pirojki* (petits pâtés) ont une farce salée (champignons, chou, poissons, etc.). Le dessert peut comporter aussi des *vatrouchkis* (chaussons fourrés au fromage blanc), des *vareniki* (beignets fourrés de fruits ou de fromage blanc).

Le *tchaï* (thé), le *borjom* (soda) et le *kvas* (boisson fermentée à base de levure de seigle ou d'orge) sont, en dehors des vodkas et des vins, les boissons les plus traditionnelles.

Le caviar noir de la Volga est le plus réputé. L'esturgeon (*bélouga* et *sévrouga*) qui donne ces précieuses perles noires, affectionne le delta de la Volga sur la mer Caspienne, près d'Astrakhan, car les eaux y sont peu profondes. Les œufs récoltés lors de la pêche du printemps sont transformés en caviar (préparation au sel et pasteurisation des boîtes et pots de verre). Le caviar rouge de l'Amour (Sibérie), fait d'œufs de saumon, est moins réputé.

LE COÛT COMPARÉ DU PANIER DE LA MÉNAGÈRE

■ Évaluation du coût en minutes de temps de travail du panier hebdomadaire d'une famille soviétique de quatre personnes habitant Moscou, comparé au coût du même panier, dans quatre capitales occidentales.

Articles	kg	Washington	Moscou	Munich	Paris	Londres
En minutes de temps de travail						
Farine	1,0	5	28	4	8	8
Pain	6,0	48	72	30	84	72
Pâtes	2,0	26	58	16	28	40
Viande de bœuf	1,0	63	132	60	108	123
Viande de porc	1,5	60	188	95	131	125
Viande hachée	1,0	43	128	48	73	57
Saucisses	1,0	31	145	40	53	43
Morue	1,0	50	50	42	75	86
Sucre	4,0	20	236	32	40	44
Beurre	0,5	24	119	23	27	29
Margarine	1,0	31	118	17	25	24
Lait (litre)	10,0	70	180	50	60	90
Fromage	1,0	71	197	60	65	58
Œufs (unité)	17,0	14	100	10	31	26
Pommes de terre	9,0	18	63	18	36	36
Choux	2,0	10	18	6	20	18
Carottes	0,5	4	5	3	5	6
Tomates	0,5	9	33	9	9	19
Pommes	1,0	11	40	8	8	15
Thé	0,1	11	50	16	23	6
Bière (litre)	3,0	24	60	21	30	66
Gin/vodka (litre)	1,0	52	380	54	105	161
Cigarettes (unité)	120	54	138	96	42	132

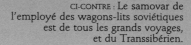

Un approvisionnement difficile

Les difficultés d'approvisionnement et le déficit endémique en produits alimentaires rendent la vie quotidienne très difficile. Trois types de magasins existent : les magasins d'État, le réseau *koptorg* (coopératif) et le marché libre.

Si les prix pratiqués dans les premiers sont à la portée de chacun, on ne peut guère y trouver que les articles de base (pommes de terre, chou, lait, œufs, pain,

sucre et thé), souvent de très médiocre qualité. La disparité de l'approvisionnement, selon les régions, selon que l'on habite la ville ou la campagne, accroît encore le sentiment de précarité : en certains endroits du pays il y a des cartes de rationnement depuis plusieurs années, alors que des républiques plus prospères (aux conditions climatiques plus favorables) souffrent moins de la pénurie de viande et de produits laitiers.

Les Soviétiques les plus démunis (re-

traités et petits salariés) sont les plus touchés par ces déficits alimentaires. Les couches les plus aisées de la population ont accès au marché libre où les produits de qualité peuvent atteindre des prix exorbitants. La *nomenklatura* du parti et des organes du pouvoir (militaires, hauts fonctionnaires) pouvait jusqu'ici bénéficier de *magasins spéciaux* interdits au simple citoyen. Au Goum, le grand magasin de Moscou, le département n° 100 est encore réservé aux privilégiés de la nomenklatura.

Pour l'approvisionnement, il y avait jusqu'ici une hiérarchie des villes : Moscou vient en tête, suivie de Leningrad, puis les villes-héros de la guerre, et enfin les capitales des républiques fédérées.

La faiblesse du réseau commercial de détail ajoute aux difficultés globales de la consommation. Le nombre des boutiques est quatre fois inférieur à celui des boutiques aux États-Unis. Les bas salaires des employés du secteur commercial incitent ceux-ci aux détournements, au marché noir et à la corruption, qui aggravent encore la pénurie ambiante.

La réforme économique introduite par Mikhaïl Gorbatchev tente d'assainir les mécanismes de la distribution (fermeture des magasins spéciaux et des *beriozka*, magasins réservés aux étrangers où l'on paie en devises) et de stimuler les activités privées et coopératives, pour atténuer les tensions dans l'alimentation.

VILLES
ET
RÉGIONS

MOSCOU A TRAVERS LE TEMPS

au cœur de l'Union soviétique

Les chroniqueurs font apparaître le nom de Moscou pour la première fois en 1147. Pendant deux siècles, Moscou est un petit bourg, plus modeste que Vladimir, Kiev ou Novgorod. Ce qui lui évite d'être pillé par les Mongols. À partir du XIVe siècle, grâce à des hommes habiles, la cité prend de l'importance jusqu'à devenir le centre politique de la Russie. Son Kremlin en est le centre religieux quand le métropolite Pierre s'installe, dès 1322, sur les bords de la Moskova. Aux XVe et XVIe siècles, l'État moscovite continue de grandir sous l'impulsion d'Ivan III. Des relations commerciales régulières se tissent avec le sud de la Russie, et Moscou profite de sa nouvelle richesse. La capitale s'embellit avec les premières constructions en pierre et en brique. L'union des architectes étrangers venus d'Italie et des maîtres de l'art local fait naître un style original qui caractérise l'art moscovite de l'époque. La peinture d'icônes s'épanouit librement. La galerie Tretiakov en offre aujourd'hui de superbes exemples. Le règne d'Ivan IV le Terrible est plus agité, mais le pouvoir de Moscou s'étend encore. L'église de Basile-le-Bienheureux, sur la place Rouge, commémore sa victoire sur les Tatars de Kazan et d'Astrakhan. Le XVIIe siècle voit la naissance de la dynastie impériale des Romanov. Libéré des influences byzantine et italienne, le style baroque d'Europe centrale fait alors surgir dans la cité une multitude d'églises et de monuments. Dépossédée de sa fonction politique, Moscou se consacre alors au commerce et à la vie intellectuelle. La première université, installée dans le bâtiment de la place du Manège, formera de nombreux écrivains et savants. Une nouvelle floraison d'églises s'ajoute à celles des siècles précédents. Malgré le fameux incendie de 1812 qui détruisit les deux tiers de la ville, le XIXe siècle marque son apogée avec une croissance urbaine extraordinaire. Les Russes y viennent de tous les endroits du pays. Moscou est pratiquement redevenue la capitale de la Russie. La Révolution de 1917 ne modifie pas son aspect, si l'on excepte la disparition de bon nombre d'églises. Après la Seconde Guerre mondiale, plusieurs grandes avenues sont élargies et bordées d'immeubles imposants autour de l'éternel Kremlin, centre politique, spirituel et culturel de la Russie.

Ses vingt-huit hectares, autrefois une ville entière, gardent les souvenirs de l'histoire russe depuis le XIe siècle, époque des premiers campements slaves sur la colline Borovitski, au confluent de la Moskova et de la Neglinnaïa. Une longue chronique se déroule à travers l'architecture et la peinture murale des quatre cathédrales ; le clocher d'Ivan-le-Grand, les manuscrits de toutes les époques et les milliers d'objets d'art décoratif du Kremlin. Le Grand Palais, datant du XIXe siècle, a une inestimable valeur artistique, car il appartient à l'ensemble architectural en pierre que forment les trois palais (palais à Facettes, les Terems et le palais doré de la tsarine), les chapelles, les murailles et les tours que les meilleurs maîtres italiens et russes ont élevés aux XVe-XVIIe siècles à la place des vieilles constructions en bois. La composition de l'ensemble, avec ses façades, entrées et escaliers à plusieurs niveaux, donne l'impression d'une fantasmagorie surgie des contes populaires. Les richesses des tsars y sont présentées : antichambres et enfilades des salles peintes aux voûtes basses, poêles en céramique peinte, portes et fenêtres dont les voûtes et les grilles sont chargées de décors somptueux, chapelles ornées d'icônes, coffres incrustés de pierres précieuses ; enfin, les terrasses où les femmes de la famille impériale avaient coutume de se promener.

CI-DESSUS : *La tradition séculaire des façades en bois sculptés aux coloris pleins de verve est encore présente dans les isbas qui ont échappé aux grands plans d'urbanisation successifs.*

EN HAUT, À GAUCHE : *La cloche Reine* (tsar-kolokol) *est haute de plus 5 mètres et pèse 218 tonnes.*

PAGES PRÉCÉDENTES : *Les coupoles de l'église Saint-Pierre (XVIIe siècle) à Moscou, construite par des artisans de Kostroma.*

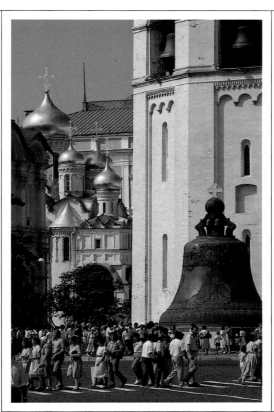

EN HAUT, À DROITE : *De l'extraordinaire église Basile-le-Bienheureux Théophile Gautier écrit : « C'est sans doute le monument le plus original du monde ; il ne rappelle rien de ce qu'on a vu et ne se rattache à aucun style. »*

CI-CONTRE : *Le Musée historique, entièrement en brique, a été construit par un architecte d'origine anglaise de 1875 à 1883.*

MOSCOU AUJOURD'HUI

une vaste cité moderne

Moscou compte aujourd'hui plus de 8 millions d'habitants. La ville est le plus grand centre politique, industriel, scientifique et culturel de l'Union soviétique. Ses huit siècles d'existence l'ont dotée d'édifices anciens, mais, au premier abord, elle offre surtout le visage d'une cité très moderne avec ses vastes avenues et l'alignement de ses immeubles de briques roses construits à partir de 1955.

Le quartier central de la ville, Kitaï-Gorod, littéralement la « ville des Chinois », s'étend à l'est du Kremlin. Depuis des siècles, la vie commerçante s'y est concentrée. De nos jours, ce quartier est occupé par les grands magasins, les bureaux et les ministères. Dans les années 20, la muraille qui entourait Kitaï-Gorod fut détruite. Il n'en reste qu'une partie visible derrière l'hôtel Métropole.

La place Rouge (« rouge » et « beau » s'expriment en vieux russe par le même mot), sur laquelle tinte tous les quarts d'heure le carillon du Kremlin, est la plus belle de la capitale.

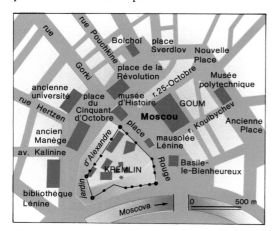

Moscou.

La façade principale du Musée historique est tournée vers la place. Ce musée, qui compte quarante-sept salles, ainsi que le Goum, le plus grand magasin de Moscou, à sa gauche, sont de curieuses constructions, édifiées à la fin du XIXᵉ siècle dans le style pseudo-russe. Au centre de la place, tout près du mur du Kremlin, se dresse le mausolée de Lénine, lieu de pèlerinage qui abrite le corps soigneusement embaumé du chef de la Révolution, mort en 1924. Au pied du mur sont inhumés d'autres chefs du parti communiste et de l'État soviétique.

Face au Musée historique, à l'extrémité sud de la place Rouge, se trouve l'église Basile-le-Bienheureux, construite au milieu du XVIᵉ siècle dans le style russe. Son intérêt réside dans la fantaisie des bulbes et des clochers en forme d'ananas, de pommes de pin et d'oignons multicolores. Devant la cathédrale, du côté de la rue Kouibychev, on remarque une sorte de tribune circulaire : c'est l'Échafaud, ou « lieu des supplices » *(Lobnoe mesto)*, où on proclamait aussi les édits du tsar. La rue Razine porte le nom du chef cosaque exécuté ici en 1671 pour avoir soulevé les cosaques et les paysans sur la Volga.

Autour du Kremlin et de Kitaï-Gorod s'ouvrent en éventail plusieurs grandes places. La place du Cinquantenaire-d'Octobre est dominée par l'ancien Manège, construit en 1817 par Bovet pour les exercices équestres des officiers de la Cour et à présent transformé en une salle d'exposition. À l'opposé du Manège, l'hôtel Moskva est une immense bâtisse construite par Chtchoussev, architecte du mausolée de Lénine. Une très belle vue s'offre de ses fenêtres sur l'Université de Moscou, deux grands bâtiments de style classique, et sur le jardin d'Alexandre, qui longe le mur du Kremlin. La place Sverdlov avec le théâtre Bolchoï, la place de la Révolution, la place Dzerjinski et les rues Gorki, Pouchkinskaïa, Petrovka et Kouznietski most forment le véritable centre de l'activité moscovite. Du côté de la place Noguina se cache, dans la petite rue Nikitnikov, l'admirable église Notre-

CI-DESSUS : *La statue de Mikhaïl Kalinine, l'un des protagonistes de la révolution russe et premier président de l'U.R.S.S., se trouve en bordure de l'immense avenue Kalinine, qui débouche sur la place de l'Arbat.*

CI-CONTRE : *C'est un usage fort répandu à travers l'U.R.S.S. de se peser dans la rue.*

CI-CONTRE, À DROITE : *La gare de Kazan, avec son restaurant, fut construite par l'architecte soviétique Alexeï Chtchoussev. Elle imite l'architecture russe ancienne et, par sa décoration, elle se rattache au baroque moscovite.*

PAGES SUIVANTES : *L'église Basile-le-Bienheureux offre un prodigieux ensemble de dômes bulbeux. L'exubérance des couleurs ajoute encore à cette impression extraordinaire.*

Dame-de-Géorgie, du XVIIᵉ siècle, richement décorée et ornée des fresques de Simon Ouchakov. La place de l'Arbat, entre le boulevard Gogol et le boulevard Souvorov, peut servir de point de départ pour une promenade le long des boulevards : la rue piétonnière Arbat incite les touristes à s'engager dans le marché des peintres où l'on croque votre portrait et où l'on vend des toiles de toutes sortes. Juste à côté, l'avenue Kalinine, que les Moscovites appellent la Nouvelle Arbat, tranche par son modernisme. Le boulevard Tverskoï, qui fait suite à celui de Souvorov, donne sur la place Pouchkine, où le monument du poète est, en toute saison, garni de fleurs, témoignage de l'admiration que les Russes ont pour cet homme.

Au début de l'avenue Komsomolskaïa s'élève, dans toute sa splendeur, l'église Saint-Nicolas-des-Tisserands, construction typique du XVIIᵉ siècle avec ses cinq « têtes » (coupoles), ses ornements de mosaïque et ses peintures vert, bleu, rouge et or. L'avenue Komsomolskaïa mène au stade Lénine, pépinière des champions de réputation mondiale, et à la cité universitaire, sur les monts Lénine, dominée par l'un des cinq gratte-ciel de l'époque stalinienne.

Une autre voie, reliant le centre au stade Lénine, emprunte la rue Volkhonka, où se trouve le musée des Beaux-Arts (musée Pouchkine), particulièrement célèbre pour sa collection d'impressionnistes français, puis la rue Kropotkine, riche en hôtels particuliers, et la Bolchaïa Pirogovskaïa, qui conduit au couvent de Novodievitchi, remarquable ensemble d'architecture religieuse. Dans le cimetière, à l'extérieur du monastère, on découvre les tombes de célèbres écrivains, musiciens, architectes, artistes, hommes politiques de la Russie et de l'Union soviétique.

À Kolomenskoïe, l'église de l'Ascension est la plus belle église à pyramide (chatior) du XVIᵉ siècle, non loin de quelques constructions en bois typiques du nord du pays. Le palais des tsars construit en 1671 fut détruit en 1678.

LENINGRAD À TRAVERS LE TEMPS

la ville de Pierre le Grand

Tandis que la « sainte » Moscou résume presque tout le passé de la Russie, Leningrad est une ville récente (moins de trois siècles) qui n'est dominée par aucun kremlin. Cité de lumière et de marbre, proportionnée à l'immense empire russe, elle est le fruit du rêve d'un monarque, Pierre le Grand, qui voulait une capitale grandiose sur un bras de mer. Le tsar bâtisseur défia la nature en choisissant pour site l'estuaire marécageux de la Neva, en bordure du golfe de Finlande, par 60° de latitude nord, à la même distance du pôle que le Labrador. Mais il voulait une capitale maritime en même temps qu'une fenêtre sur l'Europe ; en transférant sa capitale sur les bords de la Baltique, il rapprochait ainsi la Russie de l'Occident. Cette volonté politique, aux conséquences incalculables, se traduisit par une série d'oukases destinés à hâter la construction de la ville, dont le fameux « interdit dans tout l'empire de bâtir la moindre construction en pierre, quelle qu'elle soit, sous peine de ruine et d'exil ». Il réquisitionna tous les artisans, força les hauts dignitaires à se construire une maison dans la nouvelle capitale, assignant à chacun un emplacement en fonction de son rang et de sa profession. Aucun créateur de ville ne s'est davantage identifié à sa création.

Pour exécuter ses plans grandioses, il fit appel à des architectes étrangers, surtout des Allemands ; Jean-Baptiste Leblond, le seul Français, dessina le plan général de la ville. L'avènement de la fille de Pierre le Grand, Élisabeth Petrovna (1741), marqua le début d'une violente réaction contre les Allemands. Le style baroque s'imposa avec l'architecte italien Rastrelli, auquel on doit le palais d'Hiver, le couvent Smolny et de nombreux et somptueux palais sur la perspective Nevski. L'Italien construisit également les résidences de Peterhof et de Tsarskoïe-Selo, aux environs de Pétersbourg. Par réaction à la profusion baroque et rococo, Catherine II adopta un néoclassicisme plus austère (palais de Marbre, palais de l'Académie des beaux-arts, appartements de Tsarskoïe-Selo) qui trouve son point de perfection dans le théâtre de l'Ermitage et le palais Alexandre, à Tsarskoïe-Selo (œuvres de Giacomo Quarenghi, disciple de Palladio). Catherine fit construire les quais de granite de la Neva et donna à sa capitale une grandeur digne de l'œuvre de Pierre, à la gloire de qui elle fit ériger le superbe *Cavalier d'airain,* chef-d'œuvre du sculpteur Falconet. Alexandre Ier, son petit-fils, accentua le caractère monumental des édifices et multiplia les colonnades.

Saint-Pétersbourg est le berceau de la Révolution d'Octobre. Les émeutes de 1905 obligent la famille impériale à quitter le palais d'Hiver. Saint-Pétersbourg cesse alors d'être la cour de Russie pour devenir un remarquable foyer de vie politique et intellectuelle et un centre économique très prospère. À la veille de la Première Guerre mondiale, la population y atteint les deux millions d'habitants (4,5 millions aujourd'hui). Saint-Pétersbourg devient Petrograd en 1914 et voit se dérouler les premières grèves du printemps 1917. En octobre, c'est l'insurrection bolchevique et la prise du palais d'Hiver. Dès 1918, le nouveau pouvoir transfère sa capitale à Moscou, qui devient le cœur de l'U.R.S.S. En hommage au père de la révolution russe, Petrograd est baptisée Leningrad en 1924.

Le tragique siège de la ville par les armées allemandes en 1941 fera un million de victimes. Au cours de ces 900 jours, la population de Leningrad montrera un courage qui étonnera le monde entier et vaudra à la capitale de Pierre le titre de ville-héros.

CI-DESSUS : *Le château de Petrodvorets est une des promenades favorites des Soviétiques. Il reçoit des dizaines de milliers de visiteurs qui, les dimanches d'été, viennent admirer les grandes eaux.*

CI-CONTRE, À GAUCHE : *Le clocher de la cathédrale de la forteresse Pierre-et-Paul, surmonté d'une flèche dorée (60 m) couronnée d'un ange portant la croix.*

CI-CONTRE : *Petrodvorets (autrefois Peterhof) fut la plus belle résidence d'été des tsars. Dans son parc dessiné par Leblond, on admire la célèbre fontaine de Samson, du sculpteur Kozlovski.*

CI-CONTRE, À GAUCHE : **Judith**, *par Giorgone (v. 1477-1510). Musée de l'Ermitage, Leningrad.*

CI-CONTRE, EN HAUT : **La Sainte Famille**, *(v. 1505-1506), par Raphaël (1483-1520). Musée de l'Ermitage, Leningrad.*

CI-CONTRE, EN BAS, À GAUCHE : *Escalier monumental, en marbre de Carrare, du musée de l'Ermitage, ancien palais d'Hiver, œuvre de l'architecte Rastrelli.*

CI-DESSUS : **Joueur de Luth**, *(v. 1595), par le Caravage (1697-1768). Musée de l'Ermitage, Leningrad.*

CI-CONTRE, À DROITE : *Réception de l'ambassadeur de France (Jacques-Vincent Languet) au palais des Doges, par Canaletto (1697-1768). Musée de l'Ermitage, Leningrad.*

LENINGRAD AUJOURD'HUI

une « fenêtre sur l'Occident »

Leningrad est aujourd'hui le second centre industriel du pays. Les industries mécanique et automobile y sont très développées (usines Kirov) ainsi que la chimie (phosphates) et la transformation du bois (pâte à papier, cellulose), grâce à la proximité des forêts de Carélie. L'industrie textile y est bien implantée et la faïence et la porcelaine restent, depuis le xviiie siècle, l'une de ses spécialités.

Moscou, sa rivale historique, n'a point éclipsé sa réputation artistique. Leningrad possède 2 500 bibliothèques, 26 théâtres, dont le célèbre Kirov (ancien théâtre Marie), 50 musées, dont l'Ermitage, premier musée de l'U.R.S.S. est l'un des plus beaux du monde. Son conservatoire (Rimski-Korsakov) est le plus prestigieux du pays et ses concerts philharmoniques attirent les meilleurs artistes.

Ville d'art et de beauté, Leningrad a sa « saison » : les célèbres « nuits blanches » du 20 mai au 20 juin, pendant lesquelles le soleil disparaît du ciel pour deux heures à peine. La ville entière est construite à l'échelle de la Neva. Les trois branches du fleuve enlacent les îlots du delta et alimentent le quadrillage des canaux que bordent d'harmonieux ensembles architecturaux et des palais polychromes. L'Amirauté en est le centre historique, construite sur l'ordre de Pierre le Grand, qui voulait arracher aux Suédois la maîtrise de la Baltique. Quatre canaux en demi-cercle, la Moïka, le canal Catherine, la Fontanka et le canal de ceinture, marquent les limites successives de la ville et sont coupés par la perspective Nevski, la grande artère de Leningrad. L'Amirauté se trouve à l'intersection du quai de la Neva et de la perspective Nevski. Non loin, la grandiose cathédrale Saint-Isaac élevée par le Français Montferrand, au xixe siècle, dans le style empire russe.

La plus belle place de Leningrad est sans doute celle du palais d'Hiver, avec, au centre, la colonne Alexandre, conçue par Montferrand. Devant la colonne, sur les bords de la Neva, le palais d'Hiver et l'Ermitage, aux mêmes couleurs pastel, forment un superbe ensemble architectural du xviiie siècle.

Certaines églises, comme la cathédrale Notre-Dame-de-Kazan, abritent un musée, d'autres sont ouvertes au culte, telle l'église de la Trinité du couvent Alexandre-Nevski. Édifié au xviiie siècle, ce couvent comprend sept églises et trois cimetières où sont enterrés de nomreux écrivains et artistes.

L'île Vassilievski est la plus grande de l'estuaire de la Neva. Reliée au quartier de l'Amirauté par le pont du Palais et celui des Bâtisseurs, elle est constituée par un damier de rues parallèles appelées « lignes » et simplement numérotées. L'île offre un paysage architectural unique avec le palais Menchikov, de style hollandais, l'Université, l'académie des Sciences et, surtout, le palais de l'académie des Beaux-Arts (plans de Jacques-François Blondel, remaniés par Vallin de La Mothe).

La forteresse Pierre-et-Paul, située sur un îlot qui fait face au palais d'Hiver, abritait dans sa cathédrale le mausolée des tsars, tandis que son Arsenal veillait sur la sécurité de la dynastie.

CI-DESSUS : *Malgré la brièveté de son cours, la Neva dépasse par la masse de ses eaux les plus grands fleuves d'Europe. À Leningrad, c'est un bras de mer.*

CI-CONTRE : *Le palais de Tsarskoïe-Selo, de l'architecte italien Rastrelli. Élisabeth et Catherine II le transformèrent en résidence d'été.*

CI-CONTRE, À DROITE : *Leningrad possède de nombreux petits hôtels particuliers (ossobniaki) du temps de Catherine II et d'Alexandre Ier, ainsi que des maisons plus récentes, de style berlinois.*

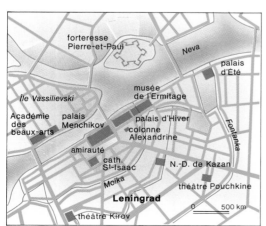

Leningrad.

LA R.S.F.S.R.

la puissante République socialiste fédérative soviétique de Russie

La Russie et la Sibérie, les deux composantes de cette fédération, font d'elle la plus grande (trois quarts du territoire), la plus peuplée (la moitié de la population) et, économiquement, la plus puissante (la moitié des produits agricoles et les deux tiers des produits industriels) des quinze républiques de l'Union soviétique. Sur la carte, les pays Baltes, le Caucase et les Républiques asiatiques donnent l'impression de n'être qu'une fine bordure qui ourle le grand tapis de la R.S.F.S.R. D'une superficie de 17 075 400 kilomètres carrés, ce tapis est tissé de vertes plaines qui prennent des tons plus foncés au-delà de l'Oural. Elles sont parcourues par les fils bleus des fleuves de Sibérie, nés dans les montagnes qui protègent les frontières sud de l'U.R.S.S. Les volcans des Kouriles complètent cet imposant ouvrage de tapisserie.

Après la prise du pouvoir par les bolcheviks, la « prison des peuples », comme on appelait l'Empire tsariste, fut supprimée et à sa place fut fondée la fédération des « peuples frères ». Celle-ci s'appuya sur les principes d'égalité et de souveraineté inscrits dans la Déclaration des droits du peuple travailleur et exploité, qui faisait écho à la Déclaration des droits de l'homme et du citoyen de 1789. Selon la Constitution, la dernière en date étant celle de 1977, les seize républiques autonomes réunies dans la R.S.F.S.R., où vivent plus d'une centaine de nationalités, ont le droit à l'auto-détermination et les Soviets y possèdent tout le pouvoir. Au-delà des engagements solennels, une réalité s'impose : la domination culturelle des Russes, représentant plus de 80 p. 100 de la population de la République.

La moitié des grandes villes soviétiques se trouvent sur le territoire de la R.S.F.S.R. : les vieilles villes comme Moscou, Leningrad, Gorki (ancienne Nijni Novgorod, célèbre pour ses foires), Sverdlovsk, Novossibirsk et les nouvelles cités construites pendant la réalisation des premiers plans quinquennaux avant la Seconde Guerre mondiale ; Magnitogorsk, Kouznetsk, Kemerovo, Komsomolsk-sur-l'Amour, Elektrostal et Magadan, dont les noms évoquent l'épopée de l'industrialisation. Presque toutes les ressources de combustibles (70 p. 100 du charbon, 80 p. 100 du gaz, 91 p. 100 de la tourbe ainsi que le pétrole inépuisable de Tioumen) sont concentrées dans la république. Le bois, que l'U.R.S.S. exporte ou consomme en grande quantité, provient à 90 p. 100 de la R.S.F.S.R., qui fournit également aux autres Républiques presque toutes les matières premières. Si elle est riche, la République est aussi plus développée du point de vue industriel : c'est sur la métallurgie (Magnitogorsk, Cheliabinsk, Novokouznetsk) et la chimie (Tobolsk, Tomsk, Berezniki) qu'elle a bâti, avant tout, sa renommée ; citons encore la chaîne d'automobiles montée par la firme Fiat à Togliatti, sur la Volga, et d'autres usines qui produisent les véhicules, à Gorki, par exemple. Quant à l'industrie légère, elle tire de grands revenus de la fabrication traditionnelle du lin au nord de la Russie et des tissus en coton, dans la région de Moscou (Ivanovo, Orekhovo-Zouevo). Le secteur industriel l'emporte sur l'agriculture, bien que celle-ci concerne 60 p. 100 de toutes les terres arables de l'Union soviétique. La moitié des céréales cultivées en U.R.S.S. viennent du Centre, de la Volga et de Sibérie occidentale.

Si l'on compare la R.S.F.S.R. avec une autre République de l'Union, son caractère slave s'impose d'emblée : le russe est la langue parlée de toute la population, les 47 « autres langues » étant néanmoins enseignées à l'école. Les Russes, les Biélorusses et les Ukrainiens dominent le domaine culturel. Les plus

CI-DESSUS : *Détail de la façade de la cathédrale de l'Assomption du monastère de Zagorsk (1559-1585). Elle est surmontée de cinq coupoles ornées d'étoiles d'or, à l'exception de celle du milieu.*

EN HAUT, À DROITE : *Près de Vladimir se trouve le monastère de Bogolioubovo (1165), résidence fortifiée du prince Andrei Bogolioubski, avec cathédrale, église, palais princier et porte d'Or.*

CI-CONTRE : *Le monastère de la Trinité-Saint-Serge à Zagorsk fut le foyer du premier art moscovite, et son architecture rayonne d'une grande poésie dans un paysage d'hiver.*

grandes bibliothèques se trouvent à Moscou (Lénine, bibliothèque historique) et à Leningrad (Saltykov-Chtchedrine) ; l'impression des livres, inaugurée en 1574 à Moscou par Ivan Fedorov, est cinquante fois plus importante en russe que dans les autres langues, dont certaines n'ont eu une écriture qu'après 1917. Les traditions culturelles, surtout celles du XIXe et du début du XXe siècle, ont intégré les Russes à l'Europe, ce qui les distingue des Mordves, des Bachkirs, des Bouriates. Russo-européenne par tradition, la vie artistique de la république s'enrichit, aujourd'hui, d'apports nationaux : l'ensemble de l'Armée rouge, le ballet Moïsseïev ou le cirque de Moscou font le tour du monde.

La partie européenne de la R.S.F.S.R. possède ce qu'on appelle la « ceinture d'or » *(zolotoï poïas)*. Ce sont les villes russes anciennes autour de Moscou, dont les monuments (églises, monastères, demeures) furent récemment restaurés pour attirer les touristes étrangers et les Soviétiques eux-mêmes, privés pendant soixante-dix ans des beautés de l'architecture religieuse. Au nord-ouest, Kalinine, ancienne ville de Tver, fut, du

XIVe au XVIe siècle, la grande rivale de Moscou. Iaroslav, sur la haute rive de la Volga, ouvre aux touristes les portes de son kremlin. Rostov-le-Grand, avec son kremlin au cœur de la cité et ses monastères aux alentours, invite les visiteurs à suivre l'itinéraire de ces princes russes qui changeaient souvent de résidence. À Vladimir, la cathédrale de Dimitri, richement ornée, allie l'Orient et la Russie mystique. La cathédrale de la Dormition est l'une des plus grandes créations de l'architecture de la vieille Russie. La route conduit à Souzdal, qui offre un ensemble très complet d'architecture, étendu sur sept siècles. Zagorsk est le lieu des pèlerinages orthodoxes et un centre d'études religieuses pour les séminaristes. Le célèbre monastère de la Trinité-Saint-Serge constitue un remarquable ensemble architectural dont la beauté éclate encore mieux sous un manteau de neige.

Au-delà de la « ceinture d'or », vers le nord, se trouve Novgorod. Aux alentours, à Mikhaïlovskoïe, vivait au XIXe siècle le grand poète Alexandre Pouchkine. Ici, les visiteurs finissent souvent par expliquer le don poétique de Pouchkine par la beauté des lieux.

La R.S.F.S.R.

CI-DESSUS : *Le sanctuaire et le narthex de l'église du Prophète-Élie à Iaroslav so entièrement décorés des fresques de la du prophète. A la fin du XVIIe siècle, fresques servirent de modèle à la déco tion religieuse des églises du Nord.*
EN HAUT, À DROITE : *L'église de l'Épipha (XVIIe siècle). Après le départ des Polon et l'incendie de 1658, Iaroslav se la dans la reconstruction de ses églises.*
CI-CONTRE : *Le kremlin de Novgorod construit au Xe siècle. Tout près de ce citadelle s'élève la cathédrale Sain Sophie avec sa coupole centrale dor*
CI-CONTRE, À DROITE : *École de restau tion d'icônes à Souzdal. La grande t dition de l'école de Vladimir-Souza dans l'art de l'icône remonte au XIIe sic (cathédrale Saint-Dimitri de Vladim*

76

LES ÉTATS BALTES

des républiques différentes

L'Estonie, la Lettonie et la Lituanie forment les États baltes, baignés chacun par la mer Baltique. Ces républiques ont des langues distinctes qui ne s'apparentent pas au russe, des histoires qui leur sont propres. Pourtant, un destin commun les réunit : toutes trois furent annexées par l'U.R.S.S. en 1939, au moment où ce pays entrait en guerre avec l'Allemagne.

Carrefour entre l'Europe occidentale, la Russie et la Suède, la Lituanie vit passer, au cours des siècles, les hordes teutones, les armées napoléoniennes (passage de la Berezina) et les divisions hitlériennes. Au Moyen Âge, elle était une nation puissante qui domina un moment la Russie et la Pologne. Le roi Jagellon adopta le christianisme et fonda, en 1386, la première alliance avec la Pologne. Mais les relations avec ce pays furent toujours conflictuelles. Devenue province russe sous Pierre le Grand, la Lituanie recouvra son indépendance en 1918 pour tomber ensuite sous la coupe de la Pologne entre 1920 et 1939, avant d'être annexée par l'U.R.S.S.

Vilnious (Wilno), la capitale, fut entre les deux guerres un centre culturel très brillant, creuset pluriculturel qui donna de grands poètes comme Czeslaw Milosz, prix Nobel de littérature (1980). Aujourd'hui, à la faveur de la *perestroïka,* comme les deux autres Républiques baltes, la Lituanie revendique avec vigueur l'autonomie politique et économique.

L'Estonie et la Lettonie devinrent, au XIIIe siècle, des possessions des chevaliers Teutoniques après avoir été sous la domination des Prussiens et des Danois. La réforme de Luther ayant affaibli l'ordre Teutonique, ces pays furent convoités, au XVIe siècle, par la Moscovie, la Suède et la Pologne. Après cent ans de guerres, la Suède annexa l'Estonie et partagea l'actuelle Lettonie avec la Pologne (1660). C'est dans la religion luthérienne et la culture politique que l'influence suédoise s'imposa. Conquises par les Russes un siècle plus tard, ces provinces connurent une indépendance éphémère de 1918 à 1939.

Depuis leur annexion par l'U.R.S.S., Tallin, Riga, ainsi que Klaïpeda, port lituanien, sont devenues d'importantes bases navales et aériennes sur la Baltique.

Les trois Républiques baltes ont en commun des traditions artisanales et commerçantes qui les distinguent du reste de l'U.R.S.S. Leurs liens avec la Scandinavie et leur ardent patriotisme ont contribué à stimuler leur dynamisme dans de nombreux secteurs économiques. Tartu, en Estonie, ancienne ville hanséatique, a su conserver ses traditions intellectuelles et une vie universitaire brillante.

Le label « balte », surtout pour les produits de pointe (électronique, informatique, hi-fi, cosmétique) et le design, est synonyme de qualité.

Un réseau routier très développé (le premier réseau d'autoroutes de l'U.R.S.S.) et un niveau de vie plus confortable que dans le reste de l'U.R.S.S. donnent aux pays Baltes un prestige particulier aux yeux des Soviétiques.

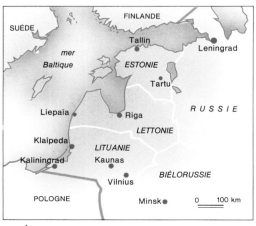

Les États baltes.

CI-DESSUS : *Le château de Trakaï (XIVe siècle) en Lituanie, ancienne résidence des grands-princes lituaniens, a été transformé en musée.*

CI-CONTRE : *Musée du Mode de vie, aux environs de Kaunas (Kovno avant 1917), deuxième ville de Lituanie. Centre industriel très dynamique (matériaux de construction, informatique), Kaunas fut de tout temps un foyer culturel important.*

CI-CONTRE, À DROITE : *Les paysans des environs de Trakaï en Lituanie viennent vendre au marché les produits de leur récolte.*

TALLIN

capitale de l'Estonie

Ville hanséatique très importante au XVe siècle, Tallin est conquise par les Danois au début du XIIIe siècle. Trois cents ans plus tard, elle appartient aux chevaliers Teutoniques ; puis l'ordre de Livonie en hérite et reconstruit la forteresse de Toompea, sur la ville haute. Après être passée aux mains des Suédois, Tallin est enfin annexée à l'Empire russe au XVIIIe siècle, arrachée à Charles XII par Pierre le Grand. Ce dernier y fonde un port qui sera très important pendant tout le XIXe siècle. L'indépendance, obtenue en 1918 grâce à la révolution d'Octobre, prend brutalement fin en juin 1940. Apprenant la chute de Paris, les Soviétiques s'empressent d'occuper les pays Baltes sous prétexte que ceux-ci avaient conclu entre eux une alliance militaire qui menaçait la sécurité des frontières soviétiques. Les territoires baltes avalés, le littoral de la Baltique, et Tallin en premier lieu, devenait une pièce maîtresse pour la flotte de guerre de l'U.R.S.S.

Entourée de remparts, la ville haute a gardé son caractère d'origine. L'ensemble architectural est original, avec la juxtaposition des influences germanique, russe et scandinave. Un château du XIIIe siècle dresse sa silhouette fortifiée.

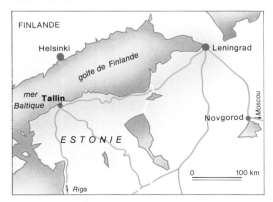

L'Estonie et Tallin.

Il fut plusieurs fois reconstruit. On découvre encore les fortifications, les tours (XVIe s.) et le palais du gouverneur, mélange d'architecture baroque et de style classique. La cathédrale du Dôme est un ouvrage gothique du XVe siècle dont les sculptures de bois, et en particulier l'autel finement ciselé, sont célèbres. La ville basse, ou vieille ville, est également entourée de fortifications où s'échelonnent 27 tours, en partie détruites. Un réseau d'étroites ruelles conduit à l'hôtel de ville (XVe s.) et aux églises gothiques et baroques du XVIIe et du XVIIIe siècle. La plus attachante est l'église Saint-Nicolas, élevée au XIIIe siècle. Pendant la Seconde Guerre mondiale, un incendie brûla une grande partie de la décoration intérieure. Il reste cependant un beau retable du XVe siècle orné d'une danse macabre. L'église Saint-Olaf possède la flèche la plus haute de la Baltique (125 m). Du sommet, la vue est magnifique sur Tallin et les alentours. L'église de l'ancien monastère de la Transfiguration contient une iconostase baroque offerte par Pierre le Grand au sanctuaire.

De nombreuses demeures ayant appartenu aux puissantes guildes des marchands des XVe et XVIe siècles évoquent le passé florissant de Tallin et lui donnent une unité et un charme exceptionnels.

Connues dès le XIXe siècle, les usines Volta sont devenues un grand centre de production de moteurs électriques. Mécanique de précision, instrumentation, électronique et câbles électriques occupent une place importante dans l'activité industrielle de Tallin. Les industries de transformation – chimie, cellulose, bois – et les industries du textile se développent aux côtés de la construction navale et des conserveries (industrie du froid).

Relié aux grands ports de l'Europe du Nord, des côtes africaines et méditerranéennes, le port de Tallin est l'un des plus modernes d'U.R.S.S. et son activité est considérable. Tallin exprime dans sa vie culturelle (presse, T.V.) le désir d'autonomie de la république.

RIGA

ville industrielle et historique

La capitale de la Lettonie, bâtie près de l'embouchure de la Dvina, à l'entrée du golfe de Riga, possède une vieille ville fortifiée. Son hôtel de ville, d'une belle architecture, et ses maisons de style gothique, dont les entrées sont décorées de faïences allemandes, témoignent de l'opulence passée. Fondée au XIIIᵉ siècle par l'ordre des chevaliers Teutoniques, Riga devint très vite, grâce à sa position géographique privilégiée, un centre de commerce important. Elle entra dans la ligue hanséatique au début du XIVᵉ siècle. Annexée par les Suédois en 1621, elle devint un carrefour du négoce et de l'artisanat. Par ses coutumes et ses lois, elle rappelait les riches cités allemandes de l'époque.

La cathédrale s'élève depuis plus de sept siècles au-dessus d'étroites constructions médiévales. Son édification coïncide avec la conversion forcée des populations locales au christianisme. L'intérieur de ce magnifique ensemble gothique est superbement décoré. L'orgue, construit en 1601, est l'un des meilleurs d'Europe. Non loin, le musée d'État des Arts décoratifs est intéressant pour ses collections de peintures allemande et hollandaise, ses objets d'art et ses porcelaines.

La nouvelle ville, dont la superficie est plusieurs fois supérieure à celle des vieux quartiers, est l'une des plus grandes cités industrielles de l'U.R.S.S.

D'importantes industries se sont développées à sa périphérie : fabriques de chaussures, industries alimentaires, conserveries de poisson, faïenceries, hi-fi et usines de cosmétiques. L'artisanat d'art est également très actif avec, notamment, le travail de l'ambre.

Aujourd'hui, la cité conserve une activité portuaire considérable (9 p. 100 du transport maritime marchand de l'U.R.S.S.).

Son port fut le second de l'Empire russe, et Riga la troisième ville après Moscou et Pétersbourg. Une bourgeoisie marchande, d'origine allemande et de confession luthérienne, y avait en main le négoce et l'exportation. On peut encore visiter les anciens greniers à blé, qui témoignent de l'importance de Riga pour l'exportation des céréales.

Le long du golfe de Riga s'égrène un chapelet de stations climatiques entre les plages de sable blond et les forêts de pins tapissées de fraises sauvages : Jurmala, Kemeri, Maïori, Bouldouri, Liepaïa ont le charme des villégiatures du siècle dernier. Le thermalisme – avec notamment les bains de boue – attire un très grand nombre de touristes venant de toute l'U.R.S.S. De nombreuses maisons de repos accueillent une clientèle privilégiée (nomenklatura) fidèle à la « Riviera » balte.

La présence d'une forte population russe ou russophone (50 p. 100 de la population totale), imposée à la Lettonie après la guerre (politique de russification systématique des pays Baltes), nourrit un nationalisme exacerbé. Celui-ci se cristallise dans la capitale autour de la défense du letton, langue nationale menacée par le russe. À la faveur de la perestroïka, les souvenirs de la répression stalinienne, qui envoya dans les camps sibériens des dizaines de milliers de Baltes, raffermissent la volonté d'autonomie de l'ensemble du peuple letton.

La Lettonie et Riga.

CI-DESSUS : *Dans la vieille ville, sur les façades des maisons, on peut lire le passé de Riga, ville hanséatique dont les chroniques anciennes parlent dès l'an 1201.*

EN HAUT, À DROITE : *Les plages de Jurmala, en Lettonie, font du golfe de Riga un des grands centres touristiques de l'U.R.S.S. Les anciennes demeures et les anciens thermes du littoral se cachent dans les bois de pins, mais dissimulent mal leur vétusté.*

CI-CONTRE : *Plus d'un millier de navires de tous les pays du monde font escale dans le port de Riga chaque année. Ici, les marins du navire-école Sedov sont plongés dans une partie d'échecs.*

LA BIÉLORUSSIE

une vaste région agricole

Au sud des États baltes s'étend le territoire de la Biélorussie. Voie de passage vers l'Europe occidentale, cette région stratégique sert de zone de protection à l'U.R.S.S. sur son flanc occidental. L'armée napoléonienne y fit des ravages lors de la campagne de Russie en 1812. En 1941, c'est par cette vaste plaine que les armées allemandes s'engouffrèrent en U.R.S.S., massacrant les populations et brûlant les villages.

La Biélorussie fut longtemps associée à l'Ukraine sous la forme d'une entité indistincte : la Ruthénie. Aux yeux des Polonais du XIXe siècle, les terres ruthènes constituaient une partie inséparable des territoires de l'ancienne Pologne et faisaient partie intégrante de la nation polonaise, en dépit des différences linguistiques et religieuses (Église uniate). Convoitée à la fois par la Russie et la Pologne, la Biélorussie eut donc à lutter longtemps pour s'imposer comme nation à part entière. Au terme d'une dernière guerre avec la Pologne menée par les partisans biélorusses au sein de l'Armée rouge en 1920, la Biélorussie fut reconnue comme un pays à part entière et devint l'une des quinze républiques de l'U.R.S.S.

Occupée par les Allemands de juin 1941 à juin 1944, elle connut les horreurs du nazisme : deux millions d'hommes, de femmes et d'enfants y furent massacrés (sur une population de neuf millions d'habitants) et le pays se retrouva en ruine. L'héroïsme de sa population valut à la Biélorussie de devenir membre de l'O.N.U. en 1945.

Les Biélorusses, ou Russes blancs, constituent la majeure partie de la population et parlent la langue nationale, ainsi que le russe, dont elle est très proche. Refusant de voir leur langue ravalée au rang de dialecte, la plupart des écrivains publient leurs œuvres en biélorusse : c'est le cas de Vassil Bykov, l'un des plus grands romanciers soviétiques. Les principales villes sont Minsk, Gomel, Vitebsk, Moguiliev, Bobrouïsk, Grodno et Brest. Minsk, la capitale, fondée en l'an mille, fut réduite en cendres en 1944 par les Allemands. Reconstruite au début des années 50, c'est aujourd'hui un très grand centre de commerce qui fournit le quart de la production industrielle biélorusse. De la vieille ville, il ne reste guère qu'une cathédrale du XVIIe siècle et une forteresse du XVIIIe siècle. Avec son conservatoire, un institut d'art dramatique, une université et divers autres instituts, Minsk connaît une vie artistique et culturelle active.

Si elle ne vient qu'en troisième place, Vitebsk, détruite elle aussi par les bombes allemandes, possède un passé intéressant. Placée sur la route qui allait « des Varègues aux Grecs », cœur de la principauté médiévale du même nom, la cité fut immortalisée au XXe siècle par Marc Chagall. Nommé commissaire des Arts et de la Culture en 1920, le peintre fit de sa ville natale le centre de l'intelligentsia révolutionnaire, y attirant les plus grands artistes de l'époque : Malevitch, Tatline, Pougny, Falk, Eisenstein et bien d'autres. Traditionnellement agricole, la Biélorussie eut à subir les violences d'une collectivisation qui démobilisa la population paysanne.

La Biélorussie.

CI-DESSUS : *La Biélorussie est une région aux traditions agricoles dont le développement a été freiné par les vicissitudes de la politique soviétique. Les conditions de vie dans les campagnes biélorusses, où l'on trouve encore de rustiques maisonnettes de bois, sont médiocres.*

L'UKRAINE À TRAVERS LE TEMPS

la « Petite Russie »

Surnommée par Catherine II « Petite Russie » *(Malaïa Rossia)* lors de la guerre russo-turque, l'Ukraine fait partie de la famille des Slaves de l'Est, avec les nations russe et biélorusse. Au XIIe siècle, les trois nations ne formaient qu'un seul État, l'Ancienne Russie, dont la capitale était Kiev. Les Slaves de l'Est ne se diversifient qu'au XVIe siècle. L'Ukraine doit alors défendre ses droits face à la Pologne, la Russie et l'Autriche. Il lui faut lutter contre l'emprise des Églises dominantes, Église orthodoxe russe, catholicisme polonais et autrichien. Au XVIIe siècle, alors que le pays est partagé entre la Pologne et la Russie, le catholicisme polonais s'emploie à faire disparaître le protestantisme. La langue polonaise se substitue à la langue locale. Quand l'État russe occupe le pays au XVIIIe siècle, il s'en prend encore plus vivement à la langue et aux traditions laïques des Ukrainiens (en 1863, interdiction d'imprimer les manuels scolaires en ukrainien). Malgré

L'Ukraine.

le joug du tsarisme, une culture nationale se développe pourtant et les habitants d'Ukraine se sentent unis dans un même amour de la patrie.

La « Petite Russie » est la souche des cosaques, ces redoutables guerriers qui se sont autrefois établis dans ces régions méridionales pour échapper aux conquérants nordiques et, après la constitution de l'État russe, pour fuir le servage. Entre le Dniestr et le Dniepr, ils construisaient des villes et des bourgs. Vers l'été, les hommes valides prenaient leurs armes, disparaissaient dans les steppes et s'en allaient combattre les Turcs et les Tatars. Les Polonais leur cédèrent d'abord des terres considérables et leur laissèrent adopter une organisation militaire. Mais, quand la Pologne occupa à nouveau leur territoire, elle les força à reconnaître l'autorité du pape. Pour échapper au joug polonais, ils se soumirent au tsar de Russie en 1654 et s'établirent sur l'autre rive du Dniepr, fondant l'Ukraine russe, restée inhabitée après l'invasion tatare. Une partie d'entre eux avaient formé un État militaire à l'embouchure du Dniepr, au début du XVIIe siècle, et pris leur autonomie sous l'autorité d'un chef élu : *l'ataman.* Ils se déplaçaient autour des chutes du Dniepr, d'où leur nom, « cosaques Zaporogues » (de *porog* : chute). Les successeurs de Pierre le Grand les prirent à leur service pour défendre l'État russe contre les Tatars et les Turcs. En 1792, Catherine II leur céda toutes les terres situées entre le Kouban et la mer d'Azov. On les appela désormais « cosaques de la mer Noire ».

L'autre branche des cosaques est celle du Don, en Russie méridionale. Dès le XVIe siècle, ceux-ci se placèrent sous la protection des tsars, qui leur accordèrent des terres exemptes de toute imposition et en firent des vassaux militaires.

Les cosaques ont survécu à l'ancien régime et leurs corps d'élite se sont distingués au cours de la Seconde Guerre mondiale lors de la reprise aux Allemands de Rostov-sur-le-Don (hiver 1942). Dans la ville, un musée leur est consacré.

L'UKRAINE AUJOURD'HUI

le grenier de l'U.R.S.S.

Au sud de la Biélorussie, les vastes espaces couverts de bouleaux et de trembles, de pins et de sapins s'éclaircissent peu à peu pour laisser place à un sol plus foncé et plus fertile à mesure que l'on entre dans les grandes plaines de terres noires (tchernoziom) : c'est l'Ukraine, pays comparable à la France par la superficie et le nombre d'habitants.

Située dans la partie la plus méridionale de la Russie d'Europe, l'Ukraine jouit d'un climat beaucoup plus favorable aux cultures que la Russie centrale et la Russie septentrionale. Ses longs étés chauds, ses pluies régulières et la fertilité de son sol lui confèrent un rôle vital dans la production alimentaire de l'U.R.S.S. La moitié des terres labourées est consacrée aux céréales cultivées intensivement. Les lenteurs de l'organisation agricole soviétique compromettent sensiblement le rendement des cultures, et les difficultés du stockage et du transport exigent que l'on révise à la baisse les chiffres officiels. Néanmoins, la mécanisation des grandes exploitations a été menée à bien dans les années 60, même si la technologie accuse un grand retard sur celle des régions agricoles américaines.

Les techniques de l'élevage ont évolué, en particulier grâce aux travaux de l'Institut de l'élevage d'Ukraine en matière de sélection et amélioration des races porcines et bovines.

La richesse de l'Ukraine provient aussi des ressources du sous-sol. On y trouve d'énormes gisements de minerai de fer, de manganèse et de bauxite. Le Donbass (région du bassin houiller du Donetz) est l'un des bassins les plus anciens et les plus considérables de l'industrie lourde soviétique. Comparable à la Ruhr, il est à l'origine de concentrations urbaines qui ne cessent de se développer : Dniepropetrovsk (ancienne Ekaterinoslav), Zaporojie, Donetsk, etc. Rostov-sur-le-Don a grandi à proximité de la zone industrielle du Donetz en se spécialisant dans le machinisme agricole. Fonderies, aciéries, usines chimiques, centrales thermiques et atomiques (avec Tchernobyl, de tragique mémoire) constituent un énorme potentiel industriel au sud du pays. Au nord, nœud de communications important, Kharkov est surtout spécialisée dans l'industrie mécanique.

La culture régionale et paysanne et le riche folklore de l'Ukraine ont été affaiblis par l'industrialisation massive et la volonté de Moscou d'écraser l'identité nationale ukrainienne.

Le grand port de l'Ukraine sur la mer Noire est Odessa, ancienne ville tatare de Hadjibeï, devenue russe en 1795. Le destin de ce port, rendu célèbre dans le monde entier par le film d'Eisenstein *le Cuirassé « Potemkine »*, est curieusement lié à la France. En 1790, le chevalier Armand de Richelieu, arrière-petit-neveu du cardinal, avait fui la révolution et s'était installé en Russie. Enrôlé dans l'armée, il participa à la prise d'Ismaïl et, en 1803, fut nommé gouverneur d'Odessa. Il donna à la ville et à ses environs un essor considérable en développant l'agriculture et le commerce maritime. Lors de la restauration des Bourbons, il regagna la France et devint ministre de Louis XVIII.

Odessa est restée une ville cosmopolite d'environ un million d'habitants (50 p. 100 d'Ukrainiens, 25 p. 100 de Russes, 7 p. 100 de Bulgares et autant de Moldaves, 6 p. 100 de Juifs, très touchés par le mouvement d'émigration de ces dernières années). Privilégiée par une intense activité commerciale et industrielle et l'attrait de ses ressources culturelles et balnéaires, elle est l'une des villes les plus dynamiques par d'Ukraine. Les Odessites bénéficient à travers l'U.R.S.S. d'une solide réputation de bons vivants à l'humour légendaire.

PAGES PRÉCÉDENTES : *Le monument aux mutinés du* Potemkine *à Odessa. Premier port de l'Ukraine sur la mer Noire, Odessa est une ville cosmopolite, vivante et chaleureuse.*

CI-DESSUS : *Odessa bénéficie d'un climat exceptionnel et sa région est le premier centre touristique d'U.R.S.S. Stations balnéaires, complexes hôteliers et parcs de loisirs attirent les foules de touristes soviétiques et étrangers.*

EN HAUT, À DROITE : *Le bassin houiller du Donetz est l'emblème de l'industrialisation soviétique. Jusqu'en 1961, la ville de Donetsk portait d'ailleurs le nom de Stalino.*

CI-CONTRE : *L'Ukraine, grenier à blé, est aussi un pays d'élevage de porcs et de bovins. Les fourrages y occupent une place importante.*

KIEV

berceau de l'ancienne Russie

Capitale de toute la Russie au XIe siècle, Kiev est aujourd'hui la troisième ville de l'U.R.S.S. par le nombre d'habitants (plus de deux millions). Elle est l'un des plus grands centres industriels du pays et son intense activité scientifique lui vaut le titre de Cité des sciences. En grande partie détruite pendant la guerre, elle a vu son infrastructure industrielle reconstruite très rapidement.

Cet essor s'est accompagné d'une croissance soutenue de l'urbanisation : de nouveaux quartiers sont venus s'ajouter au centre traditionnel et la ville s'est étendue considérablement. Toutefois, les nombreux parcs et espaces verts tempèrent les excès du béton, et les bords du Dniepr ont été en partie aménagés en jardins.

La cité est née au bord de ce fleuve, dans un site vallonné d'une grande beauté. Son âge d'or, entre le IXe et le XIIIe siècle, est lié à l'épanouissement de l'ancienne Russie, qui était alors l'un des plus florissants États d'Europe. Incendiée par le petit-fils de Gengis Khan en 1242, occupée et en partie détruite par les Allemands, la « Jérusalem de Russie » a conservé certains des anciens monuments religieux qui firent sa gloire. Aujourd'hui musée, la cathédrale Sainte-Sophie, édifiée en 1037 par le prince Iaroslav dans le style byzantin, fut restaurée au XVIIIe siècle sur l'ordre de Pierre le Grand. Ses coupoles datent de cette époque. À l'intérieur, fresques et mosaïques remontent au XIe siècle. Elles représentent des sujets religieux et profanes, en particulier les « skomorokhi», troubadours ukrainiens. Plus tardives, les fresques de la cathédrale Saint-Vladimir sont également très belles. Le joyau de Kiev est la laure de Petchersk, un des lieux de pèlerinage les plus fréquentés de toutes les Russies. La fondation du monastère est attribuée à Hilarion, métropolite de Kiev. Il eut pour successeurs les moines Antoine et Théodose, ainsi que le chroniqueur Nestor. Un couvent fut élevé au XIe siècle, l'actuelle haute-laure, près des catacombes. L'église de la Trinité, à l'intérieur du monastère, qui remonte au XIIe siècle, est bien conservée. En revanche, la collégiale de la Dormition, chef-d'œuvre de la fin du XIIe siècle, n'est plus qu'un amas de ruines. Elle fut détruite par les Allemands en 1942. On trouve également plusieurs musées, en particulier celui des Trésors historiques d'Ukraine, qui possède de belles collections de monnaies anciennes et d'orfèvrerie.

On ne peut quitter Kiev sans rendre hommage à Chevtchenko, le grand poète de l'Ukraine (1814-1861). Un boulevard qui débouche sur le Krechtchatik, principale artère de la ville, porte son nom, ainsi que l'Opéra, tandis que sa maison a été transformée en musée. En face de cette belle demeure du XIXe siècle se trouve le musée d'Art russe, qui réunit de très belles collections, dont celles de la famille Terechtchenko, industriels ukrainiens du XIXe siècle qui possédaient un grand nombre de toiles des grands maîtres russes du XVIIIe et du XIXe siècle (Levitski, Kramskoï, Répine, etc.). L'art ancien est représenté par de très belles icônes, dont celle de *Boris et Gleb* (XIIIe s.).

La région de Kiev.

CI-DESSUS : *Commémoration devant le monument de Lénine à Kiev. La révolte des ouvriers de l'usine Arsenal en 1918 amènera le pouvoir des Soviets.*

EN HAUT, À DROITE : *L'église de la Trinité de la laure de Petchersk (monastère des cryptes) fondée en 1051 à Kiev. L'église et les monastères sont transformés en musées.*

CI-CONTRE : *Monument aux morts. Kiev fut prise par les Allemands en 1941 et libérée par les Soviétiques en 1943. Le massacre des Juifs à Babi Yar est une des pages les plus tragiques de la guerre.*

LA CRIMÉE

une succession de stations balnéaires

Au sud de l'Ukraine, la presqu'île de Crimée est baignée par la mer Noire à l'ouest et par la mer d'Azov à l'est. La Tauride des Anciens possède, au sud, une petite chaîne montagneuse qui présente à la mer une côte rocailleuse et escarpée très pittoresque. Dans les belles vallées chaudes et fertiles jaillissent arbres fruitiers et vignobles (vin de Soudak). À la pointe occidentale, Sébastopol est, depuis le XVIIIe siècle, un grand arsenal maritime. Sa baie magnifique offre un abri sûr à la flotte de la mer Noire. Les Anglais et les Français y combattirent contre les Russes de 1853 à 1856. Ce long siège est raconté par Léon Tolstoï dans ses *Récits de Sébastopol*. Détruite pendant la Seconde Guerre mondiale par les divisions allemandes, Sébastopol a été entièrement rebâtie.

Yalta, « perle » de la Crimée, ville de cure et de villégiature célèbre, est également un port actif sur la mer Noire. La conférence qui s'y tint en 1945, entre les chefs d'État alliés et Staline, en fait un haut lieu historique. Près de Yalta ont été construits de nombreux hôtels et maisons de repos fréquentés par la « nomenklatura » soviétique. Koktebel offre un site particulièrement séduisant.

Simféropol, sur le fleuve Salguir, ancienne capitale du royaume scythe, est une ville de plus de 300 000 habitants, qui a son université et un centre industriel développé. Comme la plupart des cités asiatiques, ses étroites ruelles étaient jadis entourées de hautes murailles.

Ancienne colonie des Génois, qui y fondèrent le comptoir de Kafa, Féodocia devint la capitale du khanat de Crimée à partir du XVe siècle. On trouve dans la vieille ville des vestiges de la forteresse génoise, une église du XIVe siècle ainsi qu'une mosquée du XVIIe siècle. Sous les khans tatars, elle était un grand marché de vente d'esclaves sur la mer Noire. Comme le reste de la Crimée, elle fut rattachée à l'Empire russe en 1783 et devint un port très actif. C'est aussi une ville d'eau réputée qui attire de nombreux curistes, et ses plages de sable fin en font une des stations balnéaires les plus agréables.

À mi-chemin entre Simféropol et Sébastopol, au creux d'une longue vallée, Bakhtchisaraï, « Palais des jardins » en tatare, était jadis remplie de vergers et de fontaines et cachait dans ses bains de marbre les sensualités asiatiques du harem. Les restes du palais du khan (XVIIe s.) ont été restaurés, ainsi que les mausolées et les medersas qui faisaient la notoriété de cette ville d'artisans et de riches commerçants tatars. Non loin de Bakhtchisaraï, le Fort des Juifs abritait une communauté de Juifs, appartenant à la secte koraïme, qui refusaient l'autorité du Talmud et les interprétations des rabbins.

Au début de la dernière guerre, les Tatares, qui, depuis le XVIe siècle, avaient été refoulés sur la moyenne Volga et en Crimée, furent déportés en masse et dispersés à travers le pays. Ils réclament aujourd'hui le droit de retourner dans leur patrie d'origine et la restitution des terres. Mais la mer et le soleil de Crimée ont entraîné un développement touristique considérable qui rend bien improbable un retour en arrière.

La Crimée.

CI-DESSUS : *Yalta (Crimée), rendue célèbre par la conférence des chefs d'État occidentaux avec Staline.*

LE CAUCASE

une mosaïque de peuples

Baigné par la Caspienne, le « pays du Caucase » est une extraordinaire « montagne des langues », il compte des dizaines de peuples et d'ethnies. Les énumérer tous serait impossible. Avars, Lesgs et Tchétchènes sont des Caucasiens aux parlers spécifiques. Azéris, Karatchaïs ou Koumyks sont turcophones. Montagnard en Tchétchenie-Ingouchétie ou en Balkarie, le Caucasien se fait citadin et marin à Bakou. Industriel à Soumgaït, il est pastoral en pays kabarde. Musulman de rite chiite en Azerbaïdjan, il est sunnite au Daguestan, dans une région gagnée à l'islam au cours des XVIIe et XVIIIe siècles. Juifs montagnards de langue iranienne ou Ossètes restés fidèles au christianisme, seuls quelques-uns résistèrent à cette domination musulmane que la conquête russe, entamée dès le XVIIIe siècle, ne parvint pas à briser. Alors que les Azéris acceptent la tutelle de Pétersbourg, les troupes du tsar doivent faire face, dans la première partie du XIXe siècle, à un soulèvement qui embrase tout le Daguestan et le nord du Caucase. Cette guerre sainte musulmane, menée sous la conduite d'un dignitaire religieux, Chamil, durera plus de trente années. En mai 1920, après deux ans d'une indépendance chaotique, l'Azerbaïdjan rejoint l'ensemble soviétique. Premier producteur de pétrole de l'Empire avant la révolution, la R.S.S. d'Azerbaïdjan devient bientôt l'une des républiques les plus prospères de l'Union. Mais, dès le début des années 1930, le Caucase paie un lourd tribut aux répressions staliniennes. En 1944, des peuples entiers sont déportés vers l'Asie centrale pour « trahison ». Tchétchènes, Ingouches, Karatchaïs et Balkars ne seront autorisés à retourner sur leurs terres qu'après la mort de Staline.

Aujourd'hui, la région compte une République fédérée, l'Azerbaïdjan, peuplée de 7 000 000 d'habitants, et quatre Républiques autonomes sous la tutelle de la R.S.F.S.R. : la R.S.S.A. du Daguestan (1 800 000 habitants) ; la R.S.S.A. Kabardino-Balkare (750 000 habitants) ; la R.S.S.A. d'Ossérie du Nord (620 000 habitants) ; la R.S.S.A. Tchétchène-Ingouche (1 250 000 habitants). Les troubles ethniques qui ont marqué l'Azerbaïdjan (pogroms anti-arméniens de Soumgaït et de Kirovabad) ont épargné ses voisins. Mais le Caucase souffre de l'épuisement des réserves pétrolières, en particulier à Bakou. Confronté à une forte natalité, le territoire connaît d'importantes difficultés économiques. Isolé aux confins de l'U.R.S.S., dans une région où les fondamentalismes sont traditionnels, le Caucase abrite des confréries musulmanes très actives. Mais, dans une U.R.S.S. qui évolue rapidement, il est tenté par une large ouverture sur le monde extérieur, auquel il voudrait faire partager la beauté de sa nature et l'originalité de sa civilisation.

Une route réunit, à travers les montagnes du Caucase, les villes d'Ordjonikidze et de Tbilissi. La vallée du Terek, les gorges du Darial, le légendaire mont Kazbek sont de superbes sites. Les villes de Mtskheta, Baguineti, Armazi abritent encore des sanctuaires du XIe siècle et des châteaux en ruine.

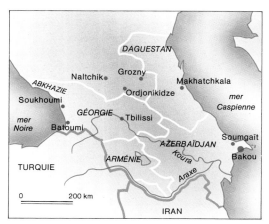

Le Caucase.

CI-DESSUS : *Située dans la vallée de l'Aragvi, en Géorgie orientale, la forteresse d'Ananouri (XVe-XVIIe siècle), ensemble architectural unique, a subi une forte influence persane, en particulier dans ses églises.*

EN HAUT, À DROITE : *Chaleti (Svanétie, Géorgie). Rempart naturel, la montagne géorgienne protège le pays contre les invasions étrangères. Les Svanes, une population géorgienne spécifique, étaient de fiers guerriers.*

CI-CONTRE, À DROITE : *En Azerbaïdjan, terre traditionnelle d'élevage, le processus de privatisation de l'agriculture lancé par la pérestroïka se heurte aux pesanteurs d'un appareil hostile à tout changement important.*

LA GÉORGIE

une histoire millénaire

Adossée aux montagnes du Caucase, la Géorgie, la Colchyde des Grecs, respire l'air du large à pleins poumons. Forêts de bambous, bouquets de palmiers, couleurs vives des mandariniers dans la marée verte des plantations de théiers alternent avec les plages et les stations balnéaires. Mais le pays des Argonautes, au pied profondément ancré dans les eaux de la mer Noire, est avant tout un terroir célèbre pour ses vignobles ; le vin de Tsinindali était réservé à la cour du tsar. Terre d'élection de la noix, base d'une cuisine succulente, la Géorgie est, sur un territoire de moins de 70 000 km², d'une diversité étonnante ; fermes de bois nonchalamment posées sur les vertes collines d'Imérétie et de Gourie ; tours ancestrales perchées dans les hautes vallées de Svanétie, où l'on imagine des guerriers partant pour les croisades ; ponts de pierre médiévaux chevauchant des torrents de montagne ; monastères fortifiés, tel le complexe de Samtvaro à Mtskheta, l'ancienne capitale, dominé par la masse imposante et magnifique du Djvari, une église du VIIᵉ siècle.

Sur cette terre, où l'histoire impose partout sa présence, vit un peuple à la langue et à l'alphabet spécifiques. Christianisée au IVᵉ siècle, la Géorgie est au carrefour des empires. Des siècles durant, Perses, Byzantins et Arabes tenteront de s'en assurer le contrôle. L'unité des terres géorgiennes sera réalisée par le roi Bagrat III au Xᵉ siècle. Royaume puissant et respecté, la Géorgie atteint l'apogée de sa prospérité et de son rayonnement culturel sous le règne de la reine Thamar (1184-1213). C'est à elle qu'est dédié *le Chevalier à la peau de tigre* de Chotha Rousthaveli, œuvre majeure de la culture nationale. En 1220, les invasions mongoles mettent un terme à l'hégémonie géorgienne sur un territoire qui s'étend bien au-delà de la Transcaucasie. À la fin du XIVᵉ siècle, le pays subit de nouvelles invasions destructrices. Après la chute de Constantinople, en 1453, la Géorgie est à nouveau à la merci de ses voisins musulmans. Elle devra désormais lutter pour préserver son indépendance et son identité. Dans la seconde moitié du XVIIIᵉ siècle, le royaume se met sous la protection de la Russie. En 1801, il est occupé par les troupes du tsar. Toute forme de souveraineté nationale est abolie jusqu'en 1918, lorsque la Géorgie recouvre son indépendance à la suite de la révolution. Mais cette période sera de courte durée. En 1921, une intervention armée la transforme en République soviétique socialiste.

Malgré son faible poids démographique (5 300 000 habitants au début de 1989), la Géorgie a toujours joué un rôle marquant dans l'Union. Qui ne se souvient de Iossif Djougachvili-Staline ?

Terre de culture vantée par Pline ou Thémistocle, la Géorgie a réussi à faire connaître et apprécier la grande qualité de ses arts, en particulier son cinéma, considéré comme l'un des meilleurs de l'U.R.S.S. À l'heure des changements provoqués par la pérestroïka, elle a été secouée fortement par des événements tragiques au début du mois d'avril 1989. La marche de la république vers plus d'autonomie, que les Géorgiens appellent une « authentique souveraineté nationale », en a été accélérée. Aujourd'hui, elle tente de trouver sa voie propre dans le cadre de sa tradition historique.

La Géorgie.

CI-DESSUS : *La Khevsourétie, région montagneuse de Géorgie orientale, est un lieu de promenade pour les randonneurs, qui apprécient les torrents.*

CI-CONTRE, EN HAUT : *Svetiskhoveli (1010-1029). Ces dernières années, l'Église orthodoxe géorgienne connaît un important renouveau. Une centaine d'églises ont été rendues au culte après avoir été désaffectées ou transformées en musées.*

CI-CONTRE, EN BAS : *Situé dans l'ancienne capitale de la Géorgie, Mtskheta, le monastère de Samtvaro (première moitié du XIᵉ siècle) témoigne du haut niveau de culture auquel était parvenue la Géorgie médiévale.*

TBILISSI

l'ancienne Tiflis des Perses

Que serait Tbilissi sans la Koura, tour à tour fleuve paisible, offrant ses berges aux autoroutes urbaines, et rapide courant au fond d'un canyon abrupt et mystérieux ? La Tiflis des Perses, devenue la Tiflis des Arabes et des Russes, doit son nom aux « eaux chaudes » (*tbili*, « chaud » en géorgien) qui alimentent les bains publics dont la cité s'enorgueillit.

Capitale de la Géorgie depuis le vɪᵉ siècle, Tbilissi est, au début du xɪɪɪᵉ siècle, le centre d'un puissant royaume. Forte de ses 100 000 habitants industrieux et habiles, elle est alors l'une des villes les plus peuplées et les plus prospères de l'Orient. Mais cet âge d'or ne dure pas. Les invasions mongoles inaugurent des siècles d'occupation et de déclin.

À la fin du xvɪɪɪᵉ siècle, les Perses mettent la cité à feu et à sang, détruisant la plupart des édifices qui faisaient sa gloire et sa fortune. Au xɪxᵉ siècle, avec l'occupation russe, Tiflis devient une importante ville de garnison et la résidence du vice-roi du Caucase. Capitale régionale, nœud de communications, centre culturel actif et cosmopolite, elle connaît une croissance rapide : à la fin du siècle, sa population atteint 160 000 habitants. En 1918, les Menche-

viks créent une République géorgienne, Tbilissi en est à nouveau la capitale et ne sera rattachée à l'U.R.S.S. qu'en 1922.

La cité s'est d'abord étendue le long de la Koura, puis, se trouvant à l'étroit, s'est mise à grimper sur les collines. Des rives du fleuve, un dédale de rues, ruelles et chemins part à l'assaut de la montagne jusqu'aux ruines de la citadelle (ɪvᵉ siècle, restaurée au xvɪᵉ siècle). Face à ce fort qui servit de prison au siècle dernier se dresse l'imposante église de Metekhi, du xɪɪɪᵉ siècle aujourd'hui rendue au culte. Non loin, la cathédrale de Sioni où siège Ylya II, « catholicos de tous les Géorgiens », chef de l'église orthodoxe géorgienne, domine la vieille ville du haut de ses treize siècles. Tout proches, la synagogue est le rendez-vous d'une communauté juive spécifique aux racines ancestrales. Çà et là, les clochers des églises romanes jaillissent des taches de verdure, tonnelles ou vergers rescapés de l'urbanisation anarchique du siècle dernier.

Aujourd'hui, Tbilissi est une cité de 1 200 000 habitants. Important centre économique, elle abrite une industrie dynamique et diversifiée. Ses facultés, ses grandes écoles et ses instituts de recherche comptent parmi les plus brillants d'Union soviétique. Ville de peintres et de poètes, sa beauté a de tout temps attiré les artistes. La renommée de ses théâtres est allée bien au-delà des frontières de l'Union. Cette métropole, où vit désormais le cinquième de la population de la Géorgie, est à l'étroit. Elle est confrontée à des problèmes de transport que la construction d'un métro n'a pu totalement résorber. La pollution, causée en grande partie par une circulation intensive fréquemment à la limite de la paralysie, inquiète une population très attachée à son patrimoine. Mais la restauration des quartiers anciens est en train de modifier l'atmosphère même de la ville. Elle restitue au piéton les espaces et les lieux indispensables à la promenade et aux loisirs, dans une ville qui renoue ainsi avec son passé.

La région de Tbilissi.

CI-DESSUS, À GAUCHE : *Tribune officielle sur la grande place de Tbilissi. Le 26 mai 1989 a vu la commémoration officielle de l'indépendance géorgienne proclam soixante et onze ans auparavant, reléguant au second plan des fêtes trop attachées à la présence russe.*

CI-DESSUS : *Le marché de Tbilissi est l'un des plus riches d'Union soviétiq Les marchands y viennent non seulement de Géorgie, mais aussi à toutes les régions du Caucase.*

CI-CONTRE : *Les maisons du vieux Tbilissi sont réputées pour la beauté et l'originalité de leurs balcons. Durant les chaudes nuits d'été, les habitants aiment non seulement y souper, mais aussi y dormir.*

L'ARMÉNIE

une histoire douloureuse

Si l'Arménie est la plus petite des Républiques fédérées, elle est aussi, avec une densité de 114,5 habitants au kilomètre carré (1987), l'une des plus peuplées de l'U.R.S.S. et des plus riches au point de vue architectural. Les Arméniens tentent d'y reconstruire, sur les 29 800 kilomètres carrés d'un pays aride et montagneux, une patrie perdue à la suite d'une histoire tragique.

Confrontée aux grands empires qui se disputent la région dans les premiers siècles de notre ère, cette terre, qui fut chrétienne dès le IIIe siècle, parvint à développer une identité et une culture profondément originales. La cathédrale d'Etchmiadzine (VIIe s.) ou l'église de Hripsimé (VIIe s.), joyaux de l'architecture religieuse, en sont les témoins. Cet art arménien, du Ve au VIIe siècle, offre plusieurs types de monuments, souvent influencés par l'époque hellénistique et romaine ; églises à coupoles et à plans cruciformes sont fréquentes. L'Arménie connaît son âge d'or aux Xe et XIe siècles. Les vestiges architecturaux sont nombreux, comme les églises du lac Sevan, le couvent de Tathev ou les sanctuaires de Marmachen. Le royaume, reconstitué par la dynastie des Bagratides, s'étend alors sur un vaste territoire dont la capitale, Ani, est une des plus belles cités d'Orient. Mais ce royaume est rayé de la carte dans la seconde moitié du XIe siècle, victime de l'expansion turque. Ce qu'on appellera la *Petite Arménie,* un territoire situé en Cilicie (face à l'île de Chypre), incarne alors la continuité de la royauté arménienne jusqu'à la fin du XIVe siècle avant de succomber à son tour. Les Arméniens, désormais sujets ottomans ou persans, trouvent dans leur église force et réconfort. La conquête russe du Caucase, au XVIIIe siècle, provoque de grands espoirs. Mais elle est bientôt synonyme d'oppression sociale et nationale.

Août 1914 place le peuple arménien aux premières lignes d'une guerre qui oppose Russes et Turcs. Les deux millions d'Arméniens de l'Empire ottoman sont désormais autant d'otages aux mains des Jeunes-Turcs. À partir du printemps 1915 se produit l'indicible : en moins de deux ans, un million et demi d'êtres humains sont massacrés dans ce qui représente le premier génocide du siècle. La conscience arménienne en sera marquée à jamais. Des centaines de milliers de réfugiés fuient vers l'Europe occidentale (France) ou vers les États-Unis. Fin 1920, la République d'Arménie, où s'entassent des centaines de milliers de réfugiés affamés, devient soviétique.

Symbole d'une nation trop longtemps privée de ses terres, l'Arménie soviétique est aujourd'hui objet de l'amour et de l'attention de la diaspora. Sa capitale, Erevan, a grandi trop vite. Et c'est à Etchmiadzine, résidence du chef de l'Église, le catholicos, que se rendent les Arméniens à la recherche de leur passé.

En 1988, l'Arménie est passée brutalement de l'espoir à la douleur. Le pays, massivement mobilisé pour réclamer le rattachement du Karabakh à la mère patrie, est frappé le 7 décembre par un terrible tremblement de terre qui ravage les villes et les régions de Leninakan, Kirovakan, Spitak et Stepanavan ; 25 000 morts, des milliers de blessés, des destructions incalculables accablent un pays déjà touché trois fois en ce siècle (1926, 1932, 1942).

L'Arménie.

CI-DESSUS : *Monument aux trois sœurs (Arménie, Géorgie, Azerbaïdjan) de Transcaucasie, à Bakou. La région est traversée de courants interethniques hostiles qui rendent dérisoires de telles manifestations d'amitié.*

CI-CONTRE, EN HAUT : *Garni. Dans un paysage où la pierre domine l'homme au point de l'écraser, bourgs et villages sont souvent autant de taches vertes, symbole de la lutte contre un environnement hostile.*

CI-CONTRE, EN BAS : *L'Arménie est, de toutes les républiques de l'Union soviétique, la plus homogène sur le plan national et religieux. Après le départ des Azéris à la fin de l'année 1988, les Kurdes y représentent le seul groupe minoritaire important.*

BAKOU

le pays des feux perpétuels

Bakou, capitale de l'Azerbaïdjan, est, depuis des temps immémoriaux, la « Mecque des adorateurs du feu » (secte des Baks). Marco Polo s'est étonné du pouvoir miraculeux du pétrole qui brûlait en langues de feu près de la ville ; les Arabes et les Mongols comprennent vite cet intérêt dans l'art de la guerre. Lorsque le pays se libère du joug mongol au début du XVᵉ siècle, Bakou redevient la capitale de l'État des chahs de Chirvan. C'est à cette époque qu'est bâtie la ville ancienne avec son ensemble de palais, un des plus beaux chefs-d'œuvre de l'art musulman parvenus jusqu'à nous. On construit alors des caravansérails pour les marchands venus de Perse, d'Inde et de Boukhara ; le pétrole et le naphte blanc, les soies sont exportés à dos de chameaux ou par la mer Caspienne. Mais le pays s'émiette en une mosaïque de petits États qui tombent sous la coupe de la Perse séfévide. Au cours des nombreuses guerres que le royaume des Séfévides livre à l'Empire ottoman, Bakou est plusieurs fois pillée et en partie détruite. Néanmoins, la puissance de l'Empire turc met la cité sur le nouvel axe commercial allant de l'Europe à la Caspienne. À partir du XVIIᵉ siècle, le royaume retombe sous l'influence persane. L'État russe, en plein essor, s'intéresse à la région dès la seconde moitié du XVIIIᵉ siècle. L'Azerbaïdjan du Nord est annexé par la Russie au début du XIXᵉ siècle ; c'est le territoire de l'actuelle République soviétique.

À cette époque, Bakou n'est plus qu'une petite ville de négoce rattachée à la province russe de Chémakha. Après le tremblement de terre qui détruisit l'antique Chémakha en 1859, Bakou retrouve son rôle de capitale de la région et, grâce au grand boom pétrolier qui se produit vers 1880, elle devient la première capitale pétrolière du monde. Cette ruée vers l'or noir entraîne rapidement une pollution considérable et une urbanisation sauvage.

Jusqu'à la Seconde Guerre mondiale, Bakou a fourni les deux tiers de la production russe. Les gisements de l'Oural ont pris depuis le relais. Aujourd'hui, Bakou n'est plus seulement la ville de la pétrochimie : d'autres secteurs industriels comme l'électronique, la construction mécanique et la hi-fi s'y sont implantés. Elle fournit les trois quarts du matériel destiné à l'industrie pétrolière. Sa population atteint presque les deux millions d'habitants. Si les Azéris sont majoritaires, la ville compte une forte représentation de Russes et d'Arméniens (communauté de 500 000 personnes). Le conflit du Nagorno-Karabakh, qui oppose l'Azerbaïdjan et l'Arménie, ne va pas sans entraîner des tensions entre Azéris et Arméniens à l'intérieur de la capitale, et de nombreuses familles arméniennes ont déjà quitté la ville.

La tour de la Vierge (XIᵉ s.), érigée sur un contrefort inexpugnable, s'ouvre sur la baie de Bakou et la ville ancienne. Non loin, les bains de Gadji Gaïg (XVᵉ s.) et la mosquée lesghienne du XIIᵉ siècle attestent d'un passé que la mosquée de Djouma, construite à l'emplacement de l'ancienne, est impuissante à évoquer, du moins extérieurement. Car elle abrite la superbe collection de tapis du musée du Tapis et des Arts décoratifs. Mais c'est le palais des chahs de Chirvan qui, sans conteste, offre le meilleur témoignage de l'architecture médiévale de Bakou à son apogée.

La région de Bakou.

La mosquée de Djouma à Bakou rassemble les musulmans de rite chiite. Les Azéris ont longtemps subi l'influence religieuse et culturelle de la Perse.

L'OURAL

foyer industriel de l'U.R.S.S.

Née sur le littoral de l'océan Arctique, la chaîne de l'Oural va mourir sur les bords de la Caspienne. Elle marque la frontière entre Russie et Sibérie. Depuis des temps immémoriaux, le commerce de l'Asie centrale passe par ces monts de modeste hauteur (le plus haut sommet atteint 1 640 m). Les contreforts sud-ouest sont peuplés de belles forêts de chênes, de sapins et d'épicéas, alors que, sur les flancs est, on rencontre plutôt le pin, le bouleau et le tremble. Ces forêts giboyeuses ont attiré les chasseurs de la préhistoire (la caverne de Kapova appartient au paléolithique) et vu naître la communauté finno-ouralienne au néolithique. À l'époque des grandes tribus, les Sarmates s'installèrent dans les steppes du Sud, établissant des contacts avec l'Asie centrale, l'Iran et Byzance.

L'Oural.

Les Russes pénétrèrent dans la région dès le XIe siècle. Au XIVe siècle, la principauté de Novgorod entreprit sa colonisation, contrôlant bientôt un vaste territoire allant de la mer Blanche au fleuve Oural, sur lequel les marchands de Novgorod fondèrent d'immenses fortunes (pelleteries, pierres précieuses, caravanes du thé).

Lorsque la Moscovie écrasa le khanat tatar de Kazan (1552), elle annexa la Bachkirie. D'immenses fiefs furent concédés à de grands seigneurs russes comme les Stroganov et les Demidov, qui régnèrent sur l'Oural pendant près de trois siècles. Ils ouvrirent les premières mines de fer et de cuivre, et entreprirent l'extraction du sel. Leurs puissantes manufactures disposaient de la main-d'œuvre de paysans serfs et de prodigieuses ressources en minerais précieux : platine, or, diamant, calcédoine, onyx, jaspe, etc. L'exploitation des mines entraîna la naissance de grandes villes : Ekaterinbourg (aujourd'hui Sverdlovsk), Perm, Orenbourg, Oufa, Kougour et Irbit.

Après la révolution, de gigantesques centres industriels ranimèrent les grandes villes de l'Oural (industrie mécanique à Sverdlovsk, usines de tracteurs à Tcheliabinsk). Magnitogorsk devint, au sud, un grand pôle de la métallurgie. En 1932, les premiers puits de pétrole apparurent en Bachkirie. La construction de grands barrages sur la Kama et les autres fleuves ouraliens permit un développement de la sidérurgie, de l'industrie mécanique et de la chimie. La pétrochimie se concentre autour de Perm et d'Orenbourg, tandis que Tioumen est le nœud du système d'oléoducs et de gazoducs qui relie l'Europe à la Sibérie et à l'Asie centrale.

L'Oural a ses figures mythiques : Yermak et Pougatchov. Le cosaque Yermak, sous Ivan le Terrible, fut engagé par les Stroganov pour repousser les incursions tatares et offrit au tsar l'immense Sibérie... Sous Catherine II, Emilian Pougatchov, cet autre cosaque du Don, organisa l'impressionnante insurrection des mineurs de l'Oural.

CI-DESSUS, EN HAUT : *Symbole de la conquête russe d'un continent immense, le Transsibérien joue un rôle essentiel dans la vie économique soviétique, amenant la vie dans des régions éloignées des grands centres russes par des centaines de kilomètres.*

CI-DESSUS : *Largement majoritaire dans la région, les Russes côtoient nombreuses populations autochtone Tatars et Bachkirs y forment d groupes compacts, en particulier da la république autonome de Bachkiri*

CI-CONTRE, À DROITE : *Autrefois considérée comme inépuisable et indestructible, la forêt suscite aujourd'hui les inquiétudes d'une partie de plus en plus importante de l'opinion, alarmée par les progrès rapides de la pollution industrielle.*

LE KAZAKHSTAN

une République multinationale

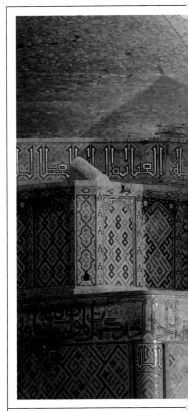

Son territoire est immense, 2 717 300 kilomètres carrés. C'est le deuxième en étendue de l'U.R.S.S. Il est baigné par la mer Caspienne et la mer d'Aral ; on peut y rencontrer, aux marges d'une large zone continentale, la rigueur du climat sibérien et l'aridité des déserts ouzbeks. Terre longtemps peuplée de nomades, elle ne fixa pas sa civilisation dans la pierre. Djamboul, l'antique Taraz, située sur la Route de la soie, et sa région sont une heureuse exception. Le Kazakhstan est peu peuplé, environ 16,5 millions d'habitants. À la suite d'un processus difficile et douloureux, les Kazakhs y sont devenus minoritaires, environ 40 p. 100 de la population. Ils font face à une forte population russe (environ 40 p. 100), mais aussi à des Allemands déportés en 1941 (6 p. 100 en 1979).

La genèse du peuple kazakh est complexe. On estime qu'il a été formé par les tribus nomades de langue turque, venues entre le Xe et le XVIe siècle. Aux XVe et XVIe siècles, celles-ci se structurent, en tribus appelées hordes : la Grande Horde, la Moyenne Horde et la Petite Horde. Musulmans sunnites, les Kazakhs ont connu une islamisation tardive, moins profonde que celle de leurs voisins ouzbeks ou tadjiks. En 1741, la Moyenne Horde et la Petite Horde se placent sous le protectorat de la Russie. Un siècle plus tard environ, le pays est entièrement annexé par Saint-Pétersbourg. La cohabitation entre Kazakhs et Russes est difficile. En 1916, le soulèvement des tribus est écrasé à la suite d'un massacre perpétré par l'armée tsariste avec le soutien actif des colons russes. Devenu République autonome en 1920, le Kazakhstan subit, dix ans plus tard, une collectivisation brutale qui impose la sédentarisation des éleveurs restés nomades. En 1936, le Kazakhstan est hissé au statut de République fédérée. L'exploitation de ses énormes réserves minérales (charbon, minerai de fer, pétrole), entamée au cours des premiers plans quinquennaux, s'intensifie avec la guerre. Doté d'une industrie lourde, le pays se transforme rapidement, drainant une main-d'œuvre nombreuse, venue de la partie européenne de l'Union. En 1954, le Kazakhstan est le centre de l'un de ces projets gigantesques dont l'U.R.S.S. a le secret : la Campagne des terres vierges. La République doit se transformer en un temps record en productrice de céréales. Attirés par un extraordinaire battage de propagande, des centaines de milliers de jeunes affluent, aggravant encore un peu plus les déséquilibres démographiques hérités des années 1930.

Est-ce un hasard si les premières émeutes de la *perestroïka* se déroulèrent en décembre 1986 à Alma-Ata, la capitale cosmopolite de cette République « tampon » entre Orient et Occident, après que Moscou eut nommé un Russe à la tête du parti communiste local ?

Aujourd'hui, le dynamisme démographique du peuple kazakh lui permet de retrouver l'espoir. S'il reste minoritaire, ce peuple a fortement marqué le pays. Ses traditions de nomades, son folklore n'ont pas disparu. Les jeux floraux et les jeux équestres rassemblent encore des foules nombreuses à l'occasion de fêtes. Cette terre dont la richesse fait rêver et qui abrite la plus importante base spatiale soviétique, à Baïkonour, est un atout majeur dans le développement de l'U.R.S.S.

Le Kazakhstan.

CI-CONTRE, EN HAUT : *Mosquée de Khodja Ahmet-Yasavi (Turkestan, région de Tchimkent). Cette mosquée-mausolée (XIIᵉ-XIVᵉ siècle) témoigne de la percée précoce de l'islam dans la partie méridionale du Kazakhstan.*

CI-CONTRE, À GAUCHE : *À la frontière du Tadjikistan, dont elles occupent une partie importante du territoire, et du Kirghizistan, les montagnes du Tian-Chan apportent la vie et la richesse dans une région marquée par la permanence du désert.*

CI-DESSUS, EN HAUT : *Dans le désert de la région de Djamboul, l'yourte fut longtemps un élément essentiel de la civilisation kazakh. Aujourd'hui, elle est encore utilisée par les éleveurs au cours des grandes transhumances.*

CI-DESSUS : *Dans la civilisation de la steppe, le faucon est l'une des composantes du statut social de l'homme. Symbole de puissance, il l'accompagne dans ses courses à cheval, compagnon de chasse à la fois fidèle et indépendant.*

L'OUZBÉKISTAN

le « phare de l'Orient »

Alexandre le Grand soumit ce territoire, Gengis Khan le conquit, Tamerlan y régna. Lieu de passage obligé des invasions, l'Ouzbékistan se trouva naturellement au carrefour de plusieurs empires. Centre de grandes civilisations, chaînon essentiel de l'histoire de l'humanité, il donna naissance à Avicenne, l'un des savants les plus remarquables d'Orient. Perse, Arabie, Chine et Inde faisaient partie de son univers. Terre d'islam, on y priait en arabe, on y chantait en persan, on y communiquait en turc. La Route de la soie traversait ses déserts arides. Mais le voyageur trouvait dans ses oasis la fraîcheur et la douceur de vivre d'une civilisation où l'eau, captée et domptée avec un art consommé, était l'élément essentiel de la vie. La splendeur de ses villes est devenue mythique. Aujourd'hui, à Samarkand, Boukhara et Khiva, chaque rue, chaque pierre bruit d'une vie qui se déroule au rythme lent légué par les siècles et témoigne d'un passé où pensée et matière ne faisaient qu'un.

Dans la seconde moitié du XIXe siècle, tout bascule. Une Russie fascinée par le sous-continent indien conquiert une partie non négligeable de l'Asie centrale,

L'Ouzbékistan.

donnant naissance au Turkestan russe, qui deviendra, après la révolution, l'éphémère République du Turkestan. Lorsque la R.S.S. d'Ouzbékistan naît, le 27 octobre 1924, elle est la cinquième République de l'Union par la population. En 1989, forte de ses vingt millions de citoyens, elle s'est hissée à la troisième place grâce au dynamisme de sa démographie. Première république musulmane d'un ensemble que courtise le monde islamique, elle semblait, dans les années 1970, l'exemple éclatant et réussi d'une expérience originale, tandis que ses dirigeants la proclamaient « phare de l'Orient ».

La vie culturelle s'est beaucoup développée depuis 1945. Le folklore reste vivace. On rencontre encore des costumes traditionnels. Les sports sont à l'honneur, surtout les compétitions équestres, comme dans toute l'Asie centrale. Mais l'Ouzbékistan doit faire aujourd'hui un bilan amer : le coton de l'époque coloniale, que l'on avait surnommé « or blanc », est devenu une monoculture à laquelle tout est subordonné. Frein à un développement harmonieux, mobilisant une main-d'œuvre pléthorique, dont de très nombreux enfants, cette culture est pour beaucoup synonyme de malheur.

Ses conséquences dans le domaine social, écologique et moral sont incalculables. L'excès de l'utilisation de pesticides a causé une augmentation importante de la mortalité infantile. L'irrigation inconsidérée des champs de coton est l'une des causes majeures de l'assèchement de la mer d'Aral (l'ouzbékistan est le premier producteur en U.R.S.S.). Le scandale de la « mafia ouzbek », dans lequel étaient impliqués les plus hauts dignitaires du parti et de l'État, était fondé sur une manipulation des chiffres de production et de livraison.

À l'heure des réformes, l'économie ouzbek s'engage sur une voie difficile, tandis que la société tente de trouver en elle-même les forces d'un renouveau. Quel sera l'avenir de ce peuple attaché à ses traditions et à sa foi dans une U.R.S.S. tournée vers l'Europe ?

CI-DESSUS : *Construite au XIXe siècle, la madrasa de Tcherminon à Boukhara témoigne de la permanence d'une civilisation qui connut son apogée au XVIe siècle alors que la ville était le siège d'un khanat puissant et respecté.*

CI-CONTRE, EN HAUT : *La coupole de la mosquée de Tilla-Kari est l'un des joyaux de l'architecture de Samarkand. La mosquée, située da la partie nord du Reghistan, est un extraordinaire ensemble architectura construit entre le XVe et le XVIIIe sièc*

CI-CONTRE, À GAUCHE : *L'antique Boukhara se considère comme le dépositaire d'une tradition dont le tissage de tapis est toujours apprécié dans le monde entier.*
CI-CONTRE : *Sur le marché de Samarkand, on peut rencontrer des marchands venus de toutes les régions de l'Asie centrale.*
CI-CONTRE, À DROITE : *Lieu de rencontre et de détente, le restaurant traditionnel est, avec les maisons de thé, l'un des centres de la vie sociale.*
CI-DESSOUS : *Deuxième ville de la R.S.S. d'Ouzbékistan avec près de 400 000 habitants, Samarkand est aujourd'hui un important lieu de tourisme et un centre administratif et industriel.*

TACHKENT

ville d'oasis

Mégapole surgie au milieu du désert, Tachkent, la « Ville de pierre », semble narguer le monde environnant. Ville d'Occident bâtie sur les ruines d'une cité qui n'était déjà plus tout à fait d'Orient, elle contraste avec un univers qui cultivait les équilibres. Binkent, l'ancienne Tchatch, était l'une des villes les plus anciennes d'Asie centrale. Maintes fois conquise, elle devient au XIXe siècle un important centre de commerce avec l'Empire russe, auquel elle est intégrée dans les années 1860. Elle connaît alors le développement rapide d'une capitale régionale où siège le général-commandant du Turkestan. Deux mondes se font face : la ville coloniale, aux larges avenues tirées au cordeau ; les quartiers indigènes, entrelacs de ruelles bordées de bâtisses aveugles construites autour de patios, havres de fraîcheur sans lesquels la vie serait infernale au cours des mois d'été. L'arrivée du chemin de fer, à la fin du XIXe siècle, achève l'intégration de Tachkent dans le tissu impérial. Lorsqu'elle devient, en 1924, la capitale de la R.S.S. d'Ouzbékistan, la ville compte 300 000 habitants. La

La région de Tachkent.

Seconde Guerre mondiale lui donne une importance nouvelle. Tachkent accueille des milliers de réfugiés venus de la partie européenne du pays. Artistes et créateurs s'y pressent, la transformant en un centre culturel actif où se sont repliés les grands studios cinématographiques du pays. Après la fin du conflit, parmi ces populations déplacées, nombreux sont ceux qui choisissent de s'y fixer, en accentuant le caractère multinational : aujourd'hui, les Ouzbeks, une population peu urbanisée, sont minoritaires à Tachkent, où l'élément slave représente environ 40 p. 100 de la population totale. Le 26 avril 1966, la ville, qui a passé le cap du million d'habitants, est frappée par un violent tremblement de terre. Les dégâts sont immenses, des quartiers entiers sont détruits. Bientôt, la reconstruction devient l'affaire de toute l'Union : chaque République prend en charge un arrondissement ou un quartier. Mais la vieille ville est miraculeusement préservée ; elle offre au visiteur les medersas Barakh-khan et Koukeldach (XVIe s.), les tombeaux de Cheïkhantour et de Iounouskhan (XVe s.) et le Vieux Marché aux odeurs si particulières.

Cette reconstruction a accéléré singulièrement la modernisation d'une cité qui affiche de grandes ambitions. Siège d'organisations internationales, d'un festival de cinéma et de congrès, Tachkent, qui accueille de nombreux étudiants venus du tiers monde, se veut la capitale de l'Orient soviétique. Longtemps vitrine du modèle soviétique, dotée d'un magnifique métro qui fait la fierté de ses habitants, la ville est un important centre industriel. Mais les Ouzbeks sont absents des usines, où s'affairent des Russes, qui vivent le plus souvent dans des quartiers séparés. Forte de ses deux millions d'habitants, Tachkent semble cependant appréhender l'avenir avec optimisme dans une République confrontée à d'inquiétants troubles ethniques (en particulier dans la vallée de Fergana) provoqués par la profonde crise économique que traverse la région. Cet avenir sera-t-il ouzbek ?

CI-DESSUS, EN HAUT : *Les marchés kolkhoziens jouent à Tachkent, comme dans le reste de l'Union soviétique, un rôle déterminant, car la population y trouve, malgré des prix souvent élevés, les produits indispensables.*

CI-DESSUS : *L'art de la joaillerie a connu en Asie centrale un important développement dans une civilisation qui voue au bijou et à l'or un véritable culte dont les racines sont anciennes. Musée des Arts décoratifs, Tachkent.*

CI-CONTRE : *Détail de la façade du palais Polovtsev, musée des Arts décoratifs à Tachkent. La mosaïque est en Asie centrale un élément de décoration des bâtiments profanes et sacrés.*

LA SIBÉRIE

une région en pleine expansion

Région démesurée, accolée aux terres d'Europe, la Sibérie est l'aventure orientale des Russes. Pendant longtemps, des mondes multiples se sont croisés dans cette immensité rude, cernée par la forêt, les marécages et les déserts, ne livrant d'eux que des images mystérieuses. Les indigènes de Sibérie n'ont sans doute jamais dépassé le million sur un territoire de quatorze millions de kilomètres carrés qui a connu les Finnois, les Mongols, les Russes et les Chinois. De l'Oural à Sakhaline, on rencontrait tour à tour des Bachkirs et des Kirghiz, des Tatars et des Ostiaks, des Bouriates et des Toungouses. Nomades, ces populations vivaient de la pêche et de la chasse près de l'Oural, de l'Ob, du Ienisseï ou de la Lena. Leur habitat était tout aussi varié : riches yourtes des Kirghiz, huttes en écorce de tilleul des Bachkirs et des Toungouses.

La Sibérie était encore mal connue que ses fourrures étaient déjà réputées. Les chasseurs et les marchands osèrent en effet s'y aventurer bien avant les exploits du cosaque Yermak. En 1582, le célèbre aventurier y lança la conquête russe en refoulant les Tatars vers l'est. L'avance des Russes ne s'arrêta qu'en 1860, dans les provinces du Pacifique cédées par la Chine. Le port de Vladivostok fut fondé la même année.

Il fallait peupler cette nouvelle terre. Durant deux siècles, l'Empire russe s'employa à consolider sa présence en concédant des terrains aux paysans-colons et en déportant massivement les prisonniers, qui fournissaient une main-d'œuvre bon marché pour le défrichage des terres. Les forçats travaillaient également dans les mines, en particulier dans les mines d'or de Nertchinsk.

Mais l'or de Sibérie fut aussi un symbole de liberté pour les nombreux aventuriers qui suivaient la colonisation hâtive. Des villages entiers d'orpailleurs s'installèrent à proximité des sables aurifères appartenant à l'État. Un monde de marchands cosmopolites, de cosaques, de trafiquants et de fuyards se

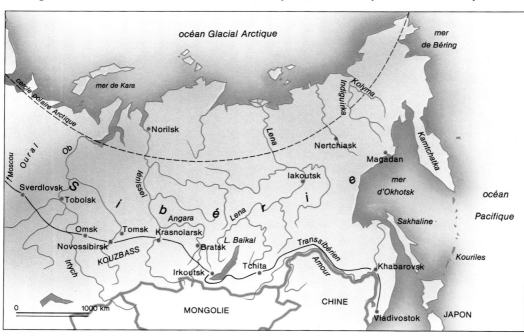

La Sibérie.

côtoyait ainsi dans les kabaki d'Irkoutsk, comptoir des fourrures et de l'or...

Outre ses immenses réserves d'or, la Sibérie orientale possède dans ses vastes chaînes de montagne de nombreux minéraux précieux : diamant, topaze, aigue-marine, lapis-lazuli, etc. Aux nécessités de la colonisation paysanne s'ajoutaient donc celles de la mise en valeur des richesses minières. La construction du Transsibérien, qui s'est déroulée pendant quinze ans, autour de 1900, répondait à ces besoins et hâta considérablement l'immigration vers l'est : toutes les villes se trouvant à proximité du rail virent leur population doubler en vingt ans (Tomsk, Krasnoïarsk, Irkoutsk, Tchita, etc.). Aujourd'hui, sur 182 villes, 32 ont une population supérieure à cent mille habitants et 90 p. 100 de la population sibérienne – trente millions en tout – sont originaires de la partie européenne de l'U.R.S.S. À partir de la Seconde Guerre mondiale s'accélère la mise en valeur de la Sibérie. L'accroissement de la population, l'installation des usines démontées de la Russie d'Europe, l'arrivée de nouvelles techniques favorisent cette expansion. Mais le paysage caractéristique de la Sibérie reste l'immense taïga : forêts de sapins, de mélèzes et de cèdres, pins et feuillus de Daourie, où se cache encore le tigre de l'Oussouri.

Les années 1950 et 1960 ont été celles des grands travaux. Il y eut d'abord la construction des centrales hydroélectriques et des barrages sur l'Angara, l'Ienisseï et l'Ob (centrales d'Irkoutsk, de Bratsk et de Krasnoïarsk), suivie par la création d'une industrie chimique. Puis ce fut le tour des pipe-lines et de l'industrie pétrolière (Angarsk, Omsk, etc.), tandis que les gazoducs traversaient la Sibérie occidentale.

Les gisements de pétrole et de gaz naturel du grand bassin pétrolier, qui va des terres glacées de la mer de Kara jusqu'à la région de Tobolsk, font de la Sibérie la première région productrice d'U.R.S.S. À l'est de l'Ienisseï, le bassin houiller, qui s'étend de l'Angara jusqu'à la Lena, est aussi vaste. Il faut ajouter ceux du Kouzbass et de la Transbaïkalie, qui, ensemble, fournissent l'énergie des énormes centres industriels locaux (Novossibirsk, Irkoutsk, Krasnoïarsk) et couvrent en partie les besoins de la Russie d'Europe.

Récemment, des gisements de diamant ont été découverts, qui viennent s'ajouter à la longue liste de pierres rares et précieuses que la Sibérie renferme dans son sous-sol. Le train reste le meilleur élément de la mise en valeur de cette région plus vaste que l'Europe, même si le gel et la débâcle l'empêchèrent longtemps de passer au nord du 50e parallèle. Le Nord-Sibérien atteint l'Ob depuis 1974, et le tronçon Baïkal-Amour a été achevé en 1984.

Mais que sont devenus les Bachkirs, les Tatars, les Ostiaks, les Bouriates, les Toungouses et les Oudégués ? Comme ailleurs, la colonisation et l'industrialisation massive ont fait beaucoup de ravages. Il reste sans doute peu de chose des belles traditions des cavaliers bachkirs ou des pêcheurs ostiaks du bassin de l'Ob. Vous ne rencontrerez pas d'indigènes en vêtements de peaux de poisson ou cousus de fil d'ortie, pêchant la nelma au large de Sakhaline ou voyageant tirés par leurs rennes autour du Baïkal... Toutefois, l'immensité du territoire a permis la survie de certains particularismes, culturels et religieux. Ainsi, des villages où les croyants sont nombreux continuent de vivre clandestinement dans la taïga, tandis que les Bouriates du lac des Oies célèbrent leurs fêtes bouddhiques et parlent leur langue, tout comme leurs voisins kirghiz ou tatars. Depuis les débuts de la colonisation, les passionnés de la Sibérie – et, parmi eux, les malheureux exilés décembristes – ont réuni dans les musées sibériens des trésors ethnographiques que l'on peut admirer aujourd'hui. Le tourisme est encore peu développé, mais les villes commencent à s'ouvrir aux étrangers. Au XIXe siècle, Irkoutsk était surnommée la « perle de la Sibérie » pour son site pittoresque et la beauté de ses églises.

PAGES PRÉCÉDENTES : *Aujourd'hui, la pêche sur le lac Baïkal est strictement réglementée. Car le lac, confronté à une dangereuse pollution causée par les industries implantées sur ses rives, risque de voir disparaître des espèces uniques.*

CI-DESSUS : *À quelques dizaines de kilomètres d'Irkoutsk, la taïga cache d'importantes ressources non exploitées. Mais l'ampleur du désastre écologique qui menace la région rend les Sibériens méfiants et les écologistes vigilants.*

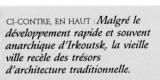

CI-CONTRE, EN HAUT : *Malgré le développement rapide et souvent anarchique d'Irkoutsk, la vieille ville recèle des trésors d'architecture traditionnelle.*

CI-CONTRE : *En hiver, la rigueur du climat interdit toute navigation sur le lac Baïkal, qui recèle la plus grande réserve d'eau douce du monde.*

NOVOSSIBIRSK

« la nouvelle ville de Sibérie »

La première ville de Sibérie s'appelait autrefois Novonikolaevsk. Elle n'était qu'un petit village avant la création du Transsibérien. En 1893, le bourg est choisi comme point de franchissement de l'Ob par la ligne de chemin de fer. Il connaît alors un essor rapide. En 1925, il est rebaptisé Novossibirsk, « la nouvelle ville de Sibérie ».

C'est aujourd'hui une cité de près de deux millions d'habitants qui étale ses immeubles et ses usines sur les deux rives de l'Ob. Pendant la dernière guerre, de nombreux laboratoires et usines de la partie européenne de l'U.R.S.S. ont été transférés à Novossibirsk, qui a vu sa population doubler en deux ans. Ces circonstances ont pesé sur le destin de la ville. Son économie s'est développée d'une manière spectaculaire.

Akademgorodok, immense complexe de laboratoires et d'immeubles d'habitation, a été construit non loin de la ville, près du lac artificiel, devenant le modèle des campus « à la soviétique ». Tous les domaines de pointe y sont représentés, en particulier la recherche médicale, la physique atomique et l'informatique théorique. Les sciences sociales ont acquis une place d'honneur grâce aux travaux d'un groupe d'économistes non conformistes, réunis autour d'Abel Aganbéguian et Tatiana Zaslavskaïa, les plus éminents économistes de la pere-stroïka. La nouvelle école de sociologie qui vient d'y être fondée sert de phare à une discipline longtemps réprimée dans toute l'U.R.S.S.

L'université de Novossibirsk est elle-même fameuse pour l'enseignement des sciences fondamentales (mathématiques, physique et biologie).

À 90 p. 100 russe, la population a une forte représentation d'universitaires, et la vie culturelle est active : plusieurs théâtres, un cirque, plusieurs musées, un conversatoire et des salles de concert tentent de satisfaire les besoins culturels d'une population qui ressent diversement l'isolement géographique et a beaucoup souffert du dogmatisme du régime brejnévien. L'Opéra, construit par l'architecte Chtchoussev avant la guerre, proposait jusqu'ici un répertoire d'opéras et de ballets souvent figés dans un académisme affligeant. Aujourd'hui, il s'est ouvert aux spectacles étrangers. La ville ne possède guère de monuments anciens, mais de pittoresques maisons de bois, appelées sans doute à disparaître. Une galerie de peinture expose des icônes des XVe et XVIe siècles. Tout proche, le musée régional, consacré à la faune et à la flore sibériennes, abrite des meubles anciens. À une trentaine de kilomètres de Novossibirsk, un barrage hydroélectrique colossal a permis à la région d'atteindre un développement industriel important et d'exploiter les minerais des régions limitrophes.

L'implantation d'industries de mécanique, hi-fi, instrumentation, textile est contrebalancée par une activité agricole importante (céréales, pommes de terre et culture du lin). L'industrie du bois et de ses dérivés, la chimie et l'industrie alimentaire exploitent les ressources locales (conifères de la taïga et production agricole). Plus près de la ville, les fermes se sont spécialisées dans la culture maraîchère et l'élevage, approvisionnant la population en produits frais.

La région de Novossibirsk offre des réserves naturelles considérables (espèces végétales et animaux à fourrure) que les organisations d'écologistes défendent avec vigueur.

Novossibirsk.

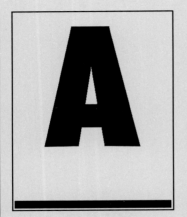

A

Abkhazes.
Peuple du Caucase oriental, les Abkhazes habitent la région située entre la mer Noire et la principale chaîne du Caucase, constituant l'actuelle République soviétique autonome d'Abkhazie, rattachée à la Géorgie. Les Abkhazes y sont minoritaires (environ 100 000 sur une population de 506 000 habitants).
La population est presque également partagée entre musulmans sunnites et chrétiens orthodoxes.

Abramtsevo.
À une soixantaine de kilomètres de Moscou, sur la route de Iaroslav, le domaine d'Abramtsevo appartenait au mécène Mamontov qui y créa un foyer culturel exceptionnel à la fin du XIXe siècle. Son immense parc abrite de charmants pavillons de bois. Un musée de la Littérature est installé dans une grande demeure en bois (souvenirs d'Aksakov, Gogol, Tourgueniev...).

Aïvazovski Ivan Constantinovitch.
La mer fut presque la seule source d'inspiration de ce grand peintre de marines (1817-1920). Il la représenta avec un style romantique, dans toute sa puissance et son immensité. D'origine arménienne, il étudia la peinture à Saint-Pétersbourg, puis en France, auprès d'Horace Vernet. Dès les années 1840, il était célèbre. Il devint le peintre officiel de la Marine de Nicolas II. Aïvazovski a réalisé environ 6 000 tableaux ainsi que de nombreux dessins et aquarelles.

Akhmatova Anna.
Née à Odessa en 1889, de son vrai nom Anna Gorenko, Anna Akhmatova s'impose dès ses premiers recueils (*Soir, Rosaire* et *Volée blanche*) comme l'un des grands poètes de sa génération. Dans *Requiem,* elle exprime avec un lyrisme bouleversant la tragédie de l'histoire russe. Elle meurt à Moscou en 1966.

Alexandre II.
Né à Moscou en 1818, il est le fils de Nicolas Ier. Empereur de Russie de 1855 à 1881, Alexandre II accède au trône alors que l'opinion publique ressent l'urgence d'un changement de régime politique et social. Le *Statut des paysans libérés du servage,* élaboré en 1861 à son initiative, abolit la dépendance personnelle du serf. Il signe la paix avec la France après la guerre de Crimée et entreprend contre la Turquie la guerre de 1877-78 qui aboutit au congrès de Berlin. Il meurt à Saint-Pétersbourg en 1881, assassiné par les nihilistes.

Alexandre Nevski.
Ce prince devint héros national après avoir stoppé la pénétration des Suédois, en 1240, sur les bords de la Neva. Il leur infligea une cuisante défaite. En 1242, Alexandre Nevski triompha également des chevaliers Porte-Glaive sur les glaces du lac des Tchoudes, sauvant ainsi la Russie et l'orthodoxie. Pierre le Grand fit construire un grand monastère sur les lieux de la bataille contre les Suédois. On y transféra les reliques du héros, canonisé plus tard par l'Église orthodoxe, et l'empereur institua l'ordre de Saint-Alexandre-Nevski. En 1942, l'ordre militaire Alexandre-Nevski fut également créé pour honorer les meilleurs officiers soviétiques. La fameuse bataille de 1240 a été immortalisée par le film d'Eisenstein, *Alexandre Nevski,* pour lequel Serge Prokofiev composa sa célèbre cantate.

Ambulants.
Ce groupement de peintres réalistes russes a été fondé vers 1870 à Moscou. Il fut appelé ainsi parce que leurs expositions étaient itinérantes à travers tout le pays. Cette école essaya d'imposer une peinture moins académique que celle de l'époque, plus proche de la vie russe. Elle dénonça les maux de la société et traça une série de portraits des hommes célèbres du XIXe siècle. Ses représentants les plus illustres furent Vassili Perov (*Un enterrement à la campagne, Portrait de Dostoïevski ;* galerie Tretiakov) et Ilia Repine (*Haleurs sur la Volga, Ivan le Terrible devant le*

CI-DESSUS : *Anna Akhmatova, la grande dame des lettres soviétiques.*
CI-CONTRE : *Une tempête au cap Aiya, par Ivan Aïvazovski.* Musée russe de Leningrad.

cadavre de son fils, la Tsarine Sophie au couvent des Vierges ; galerie Tretiakov). Les frères Tretiakov, fondateurs de la célèbre galerie, ont été les mécènes de cette famille d'artistes.

Anneau d'or.
On appelle ainsi les petites villes anciennes qui entourent Moscou et témoignent de la beauté de l'architecture religieuse traditionnelle. Zagorsk, Rostov, Iaroslav, Vladimir et Souzdal sont les joyaux de la Russie centrale.

Appartement communautaire.
Le logement a toujours été un problème important en U.R.S.S. Le parc, qui était déjà très insuffisant, a été dévasté par la guerre. Des villes entières comme Stalingrad (aujourd'hui Volgograd) ont été entièrement rasées. On partagea donc toutes les maisons et les immeubles en « appartements communautaires ». Chaque appartement regroupait de six à dix familles qui se partageaient l'usage de la cuisine et des sanitaires. Chacune ne jouissait que d'une seule pièce.
Une véritable politique de construction de logements d'État fut mise en œuvre par Khrouchtchev à partir de 1956. Aujourd'hui, on assiste dans les villes à un développement de la construction de logements financée par des particuliers.

Arbat.
La rue et la place de l'Arbat (avec la statue de Gogol) sont particulièrement chères aux Moscovites car elles conservent l'esprit des années 20, avec leurs boutiques d'antiquités et leurs vieilles maisons. Après avoir subi beaucoup de destructions au cours des années 60, le quartier a été réhabilité. La rue de l'Arbat est devenue zone piétonnière, attirant la jeunesse et les artistes de rue.

Arméniens.
Les Arméniens sont apparentés à l'ensemble de la famille indo-européenne. Cependant, l'arménien ne ressemble à aucune des langues de cette famille et ne peut être rattaché à aucun sous-ensemble plus vaste. La langue arménienne est parlée par 6 millions de locuteurs, 3 millions dans la diaspora et 3 millions en République soviétique d'Arménie (la plus petite des trois républiques du Caucase). Aucune république n'a une composition aussi homogène. La population de l'Arménie est composée de 89,7 % d'Arméniens, 5,3 % d'Azéris et 2,3 % de Russes. L'Église arménienne est chrétienne, monophysite, autocéphale.

Avvakoum.
Ce protopope et écrivain, né en 1620, fut le chef spirituel des vieux-croyants. À travers les disputes byzantines sur la façon de faire le signe de croix, de préparer la pâte du pain liturgique, qui enflammèrent les esprits au milieu du XVIIe siècle, se profilaient deux philosophies antithétiques, l'une élitiste, favorable au pouvoir absolu, et l'autre populaire. La paysannerie, écrasée par le servage, se tourna vers le schisme religieux qui prédisait la fin du monde. Dans sa *Vie*, Avvakoum exposa une conception du monde proche du peuple. Il détestait la religion officielle et ses fastes, et voyait le divin se manifester dans l'événement le plus quotidien. Il sera persécuté et brûlé vif en 1682.

Azéris.
Les Azéris font partie du groupe turc de la famille des peuples altaïques (l'azéri appartient au groupe sud-ouest des langues turques). Leur république est la plus grande et la plus peuplée des républiques de Transcaucasie. Le nombre total d'Azéris en U.R.S.S. est de 5 550 000. (Un nombre équivalent habite l'Azerbaïdjan iranien.) Les Azéris descendent des anciens habitants iranophones de la Transcaucasie. Environ 70 %, répartis dans l'Ouest, le Sud et l'Est sont chiites duodécimains. Les autres sont sunnites et vivent dans le Nord.

CI-CONTRE : *Nicolas Ier, sa femme Alexandra Fedorovna et leur fils, le futur empereur Alexandre II. Lithographie. Paris. Bibliothèque nationale.*

CI-DESSUS : *Au cœur de Moscou, la rue de l'Arbat est toujours animée.*

B

Baba.
Statue de pierre que les peuples de la steppe érigeaient au sommet d'un tertre funéraire (tumulus). Son expression est souvent terrifiante et ses dimensions monumentales.

Bakounine Mikhaïl.
Le fondateur du mouvement anarchiste révolutionnaire (1814-1876) participa à de nombreuses révolutions en Europe occidentale. Il fut exilé en Sibérie en 1857, s'enfuit quatre ans plus tard et regagna Londres en passant par le Japon et l'Amérique. Sa doctrine, fixée dans *l'État et l'Anarchie,* se répandit largement chez les révolutionnaires du XIXe siècle. Elle prônait l'athéisme, l'égalité entre les classes sociales, la mise en commun de tous les biens de production et la disparition de toutes les autorités.

Bakst Léon.
De son vrai nom Léon Nicolaïevitch Rosenberg (1866-1924), il fut, avec Picasso, le plus grand décorateur des Ballets russes. Il signa notamment les décors de *Shéhérazade, Carnaval, l'Oiseau de feu.* Créateur d'un nouveau style, il ne se limita pas à la décoration théâtrale, et fut très actif dans les arts décoratifs.

Batu Khan.
Prince mongol (1204-v. 1255) qui dévasta Kiev et Riazan et s'empara de la principauté de Vladimir-Souzdal (1240). La légende raconte que Batu Khan épargna la vie de Dimitri, vaillant défenseur de Kiev. Ce petit-fils de Gengis Khan est le fondateur du royaume tatare de la Horde d'or.

Beresta.
Écorce de bouleau utilisée pour la confection des objets domestiques (paniers, boîtes, etc.). La tille (écorce de tilleul) servait à la fabrication des chaussures paysannes appelées « lapti », à tresser des corbeilles et à couvrir les toits.

Beria Lavrenti Pavlovitch.
Cet ami de Staline, né en 1899, devint commissaire du peuple aux Affaires intérieures et chef de la sécurité d'État à partir de 1938. À la différence des activités chaotiques de son prédécesseur Ejov, Beria procéda méthodiquement à la provocation, à la fabrication des faux documents et à la torture. Après la mort de Staline, ses successeurs, considérant Beria comme un dangereux rival, le liquidèrent en juillet 1953. Six mois plus tard seulement, la *Pravda,* l'accusant de « crimes contre les lois socialistes », annonça sa condamnation à mort et son exécution.

Blok Alexandr Alexandrovitch.
Ce grand poète symboliste (1881-1921) du deuxième âge d'or de la poésie russe, du début de ce siècle, est né dans une famille d'intellectuels. Sa poésie, à l'écoute de son temps, est constituée de trois courants principaux ; d'abord symboliste mystique, il écrit ses vers à *la Belle Dame,* puis il s'éloigne du symbolisme pour décrire non plus un monde de rêve mais la réalité de la ville, des faubourgs, sur un ton plus pessimiste. Enfin, la troisième étape de sa poésie est remarquable surtout par son chef-d'œuvre *les Douze,* directement inspiré par la révolution de 1917, que Blok accueille avec enthousiasme. Mais, rapidement, il sera déçu par la réalité de cette révolution, et se laissera

CI-DESSUS : *Mikhaïl Bakounine, théoricien de l'anarchisme. Photo de Nadar.*
CI-CONTRE : *Une bacchante de Narcisse, ballet de Léon Bakst, décors et costumes de Léon Bakst, interprété par Karsavina et Nijinski. Première représentation au théâtre du Châtelet le 6 juin 1911. Dessin. Musée national d'Art moderne.*

mourir dans le désespoir en 1921.

Bolchoï.

Le grand théâtre lyrique de Moscou fut construit presque en face du Kremlin, en 1854, par un architecte italien. C'est un édifice de style grec avec un fronton orné d'un quadrige représentant Apollon sur son char. Malgré son style peu approprié aux monuments voisins, il a acquis une prestigieuse réputation grâce à son répertoire d'opéras et de ballets russes. Il est souvent difficile d'y obtenir des places.

Boris et Gleb.

Ces princes russes, nés au Xᵉ siècle, sont les frères de Sviatopolk, qui succéda à leur père, Vladimir, fondateur de la Russie de Kiev. Pour assurer son pouvoir, Sviatopolk fit assassiner ses deux jeunes frères. Boris et Gleb furent vengés par Iaroslav, un autre des douze fils de Vladimir, qui chassa Sviatopolk après maints épisodes guerriers. La légende des deux innocentes victimes d'un frère fratricide a inspiré beaucoup d'artistes. De nombreuses icônes ont été consacrées à Boris et Gleb, qui furent canonisés. Le manuscrit de la *Vie des saints Boris et Gleb* du moine Sylvestre est le texte le plus ancien qui nous soit parvenu.

Boris Godounov.

Né vers 1552, il fut tsar de Russie de 1598 à 1605. Lorsque Ivan le Terrible mourut, il laissait deux fils : Fédor, âgé de 27 ans, et Dimitri, âgé de six mois. Fédor, malade et faible d'esprit, monta sur le trône et se déchargea du pouvoir sur le boyard Boris Godounov, son beau-frère. Celui-ci fit exiler à Ouglitch le petit Dimitri et sa mère. À huit ans, l'enfant mourut accidentellement. Le peuple vit dans cet accident la main de Godounov. Quelques années plus tard, après la mort de Fédor, le boyard ambitieux se fit élire tsar. Sa politique assez avisée, qui privilégiait la petite noblesse et les hommes de service aux dépens des paysans et de la grande noblesse, déplut aux boyards qui tentèrent de le renverser. En 1604, se présenta à la cour de Pologne un jeune homme qui prétendait être le tsarévitch Dimitri. Le roi de Pologne soutint le « faux-Dimitri ». Celui-ci, avec la bénédiction du pape Clément VIII, fut envoyé à Moscou escorté d'un détachement de cavalerie. De nombreux paysans révoltés se joignirent à eux. Après la mort subite de Boris Godounov, les boyards firent assassiner son fils et successeur, Fédor Godounov. C'est ainsi que le « faux-Dimitri » s'installa sur le trône de Russie, s'entourant de princes polonais et menant une vie de débauche. Il fut assassiné un an plus tard. Ces pages tragiques et sanglantes de l'histoire russe ont inspiré à Pouchkine son *Boris Godounov,* à partir duquel Moussorgski composa son célèbre opéra.

Borodine Alexandre.

Ce compositeur russe (1833-1887) adhéra au « groupe des cinq » dès sa fondation en 1862 et consacra une vingtaine d'années à la création de son œuvre majeure, *le Prince Igor,* que terminèrent Rimski-Korsakov et Glazounov. Parmi ses œuvres les plus célèbres, un poème symphonique, *Dans les steppes de l'Asie centrale* (1880), et trois symphonies.

Boukharine Nicolas Ivanovitch.

Ce dirigeant bolchevique (1888-1938) fut appelé par Lénine « l'enfant chéri du parti ». Exilé depuis 1911, il retourna en Russie après la révolution de Février, fut élu membre du Comité central de 1917 à 1929. Il devint le porte-parole des « communistes de gauche » et préconisa la « guerre révolutionnaire », avant de devenir progressivement, au cours des années 20, le leader de la droite du parti. En 1927, il fit exclure du parti Trotski, Zinoviev, Kamenev, ainsi que toute l'opposition de

CI-DESSUS : *Boris Godounov, opéra de Moussorgski, d'après la tragédie de Pouchkine. Illustration de Schouschaeff pour la reprise de l'œuvre à l'Opéra de Paris en 1924.*
CI-CONTRE : *Le prestigieux théâtre Bolchoï à Moscou. Gravure de Jean Alexandre Duruy (XIXᵉ s.).*

CI-DESSUS : *Nicolas Boukharine, une des grandes figures de la révolution russe, entièrement réhabilité par la perestroïka.*

gauche. En 1929, Boukharine rompit avec Staline et ses méthodes. Principal accusé présent au procès du « bloc anti-soviétique des droitiers et trotskistes » de 1937, il sera exécuté. Entièrement réhabilité sous la perestroïka, il est à nouveau cité dans les travaux d'historiens et dans la presse.

Boulgakov Mikhaïl Afanassievitch.
Il est l'auteur (1891-1940) d'une œuvre variée qui comprend des billets humoristiques, des drames, des biographies et des romans. Son dernier roman, *le Maître et Marguerite*, qu'il écrivit de 1929 à 1940, resta longtemps inédit. Ce n'est qu'un quart de siècle après sa mort qu'il fut publié en U.R.S.S., avec de larges passages censurés. Ce roman, qui mêle le fantastique, les événements historiques et l'actualité, eut, et a encore, un grand succès. Médecin de formation, Boulgakov abandonna son métier pour devenir écrivain. Son premier roman, *la Garde blanche*, est resté inachevé. Devenu assistant-réalisateur au théâtre, il adapte, en 1930, *les Âmes mortes* de Gogol. Deux écrivains ont

particulièrement influencé Boulgakov : Gogol, dont il a été nourri toute son enfance en Ukraine, et Molière, auquel il a consacré une biographie.

Bouriates.
Ils font partie du groupe mongol de la famille altaïque (famille qui représente 15 % de la population soviétique) et constituent la plus importante population aborigène de Sibérie. Au nombre de 300 000, une partie d'entre eux seulement vit en République autonome de Bouriatie. On trouve également des Bouriates dans le nord de la Mongolie.

Boyard.
Nom du seigneur qui possédait un fief (votchina) au temps des principautés féodales. À partir du XIIe siècle, la communauté paysanne passe sous la tutelle des boyards. Le prince octroyait un domaine à son boyard, qui en avait la suzeraineté héréditaire (terres et serfs). À partir de la constitution d'un État centralisé (sous Ivan le Terrible), les boyards ont une assemblée (Douma) qui gouverne avec le grand prince.

Les intrigues et les complots des différentes familles de boyards marquent l'histoire russe jusqu'au XVIIIe siècle.

Brejnev Leonid Ilitch.
Homme d'État soviétique (1906-1982). Il entre au Comité central du parti communiste de l'U.R.S.S. en 1952 et devient membre titulaire du Présidium du Comité central en 1957. Président du Présidium du Soviet suprême trois ans plus tard, il succède à Khrouchtchev en 1964, comme premier secrétaire du parti. Les réformes de l'organisation du parti décidées par Khrouchtchev en novembre 1962 sont annulées, et la volonté de s'en tenir à l'orthodoxie léniniste est confirmée au XXIIIe Congrès (1966). Brejnev fait intervenir à Prague (août 1968) les troupes du pacte de Varsovie, justifiant cette intervention au nom de la théorie de la « souveraineté limitée ». Lors du sommet de Moscou (1972), Brejnev et Nixon signent un accord sur la limitation des armes stratégiques (SALT I). La politique de détente que l'homme d'État soviétique poursuit avec l'Occi-

dent est compromise en 1979 par l'intervention militaire soviétique en Afghanistan. L'ère Brejnev est aujourd'hui définie comme celle de la stagnation.

Bureau politique.
Le « Politburo » est le bureau politique du Comité central du parti communiste de l'U.R.S.S., élu par ce dernier. Il est composé d'une quinzaine de membres titulaires et de suppléants. Cette instance, créée en 1917, dirige et oriente l'activité du parti entre les plénums du Comité central.

Byline.
Chant épique de la vieille Russie, qui exalte l'héroïsme des preux chevaliers. Ainsi, la byline de Sadko vante le riche marchand de Novgorod, plein d'audace et d'indépendance d'esprit. La byline d'Ilia de Mourom raconte comment, après avoir dormi trente-trois ans sur son poêle, Ilia devient un valeureux chevalier. Les bylines célèbrent également les géants invulnérables. La byline de Vladimir, *le Beau Soleil*, chante la gloire du défenseur du sol russe.

CI-DESSUS : *Le Maître et Marguerite, de Mikhaïl Boulgakov, chef-d'œuvre de la littérature russe, fut porté à l'écran par Alexandre Pétrovic en 1972.*

CI-CONTRE : *Brejnev et Nixon lors de la signature des accords soviéto-américains du 26 mai 1972.*

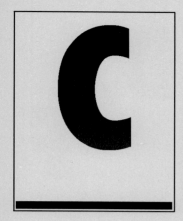

C

Caftan.
Robe doublée de fourrure que portaient les boyards, les princes et les riches marchands.

Caravansérails.
En Orient, ces abris servaient d'entrepôt pour les marchandises et de gîtes pour les voyageurs. Arcades et voûtes entouraient le plus souvent une vaste cour, enfermée dans des murs puissants. On a dégagé plusieurs caravansérails sur la Route de la soie, en particulier dans l'oasis de Khorezm.

Catherine II.
Cette princesse allemande (Stettin 1729-Saint-Pétersbourg 1796) devint impératrice de Russie (1762-1796) en épousant le grand-duc Pierre. Après la mort de son mari, elle s'affirma, bien qu'elle fût étrangère, comme une souveraine nationale. D'une très forte personnalité, intelligente et autoritaire, elle accomplit une œuvre considérable. Elle mena une politique de prestige destinée à faire admettre la Russie au rang des grandes puissances européennes. Elle procéda à une série de réformes administratives, tout en éludant le problème du servage, ce qui entraîna le mouvement insurrectionnel de Pougatchev (1773-1774). Par l'annexion des vastes et riches régions du sud et de l'ouest de l'Empire, Catherine II augmenta considérablement les ressources économiques et la puissance de la Russie du XVIIIe siècle. Elle fut également la protectrice des arts et enrichit le musée de l'Ermitage de nombreuses œuvres.

Cent-Noirs.
Organisation antisémite d'extrême droite qui vit le jour au moment de la révolution de 1905 et fut l'instigatrice de pogromes. Actuellement, cette tradition xénophobe est en partie reprise par l'aile droite du mouvement « Pamiatnik ».

Chaliapine Fedor.
Célèbre basse et remarquable tragédien, ce chanteur russe (1873-1938) fut l'un des plus grands interprètes lyriques de son temps. Il triompha successivement à Moscou (1899), Milan (1901), New York (1907) et Paris (1908), où son interprétation de Boris Godounov marqua sa consécration.

Chaman.
Nom donné aux prêtres de certaines tribus d'Asie septentrionale qui pratiquent à la fois divination et médecine. Le chamanisme est une croyance aux bons et aux mauvais esprits. Le prêtre magicien est là pour servir de médiateur entre les esprits et les êtres humains ordinaires. Il joue un rôle essentiel dans le traitement de certaines maladies, censées provenir des mauvais esprits qu'il peut maîtriser en état de transe. Ces chamans jouèrent un rôle important dans la résistance à la collectivisation, dans l'extrême nord de l'U.R.S.S.

Chatior.
Toit d'église pyramidal. L'exemple le plus typique de toit en « chatior » est celui de l'église de l'Ascension de Kolomenskoïe, près de Moscou.

Chevtchenko Tarass.
Ce grand poète ukrainien (1814-1861) naquit serf dans un village de la région de Kiev. Adolescent, il mène l'existence misérable d'un ouvrier agricole, jusqu'au jour où son maître l'envoie étudier la peinture à Moscou. En 1838, il est affranchi par quelques amis artistes et poursuit ses études à l'Académie des beaux-arts. Déjà, il écrit des vers en ukrainien. La première édition du *Kobzar* (la « kobza », vielle des bardes ukrainiens), recueil de poèmes, est publiée à Saint-Pétersbourg en 1840. Chevtchenko ne se contente pas d'une œuvre littéraire et picturale. Il veut libérer sa patrie de l'oppression tsariste, la mener sur le chemin de la liberté. C'est alors qu'il s'engage dans le combat politique avec la société secrète « Cyrille et Méthode ». Arrêté en 1847, il doit servir comme simple homme de troupe pendant dix ans. Malgré une dure vie de soldat, il continue à écrire. Avec Chevtchenko, la langue ukrainienne acquiert toute la plénitude d'une langue littéraire riche et originale. Sa vie et son œuvre sont devenues les symboles d'une nation qui puise dans *le Serment* ou les

CI-DESSUS : *Ambassadeur moscovite en caftan (gravure du XVIe s.).*

CI-DESSUS : *Caravansérail à Boukhara, carrefour des routes du commerce entre l'Orient et l'Occident.*

CI-CONTRE : *Les chamans de l'Altaï ont frappé l'imagination des voyageurs du XIXe siècle. Photo coloriée du début du siècle.*

Haïdamaks la force de son combat pour la langue et la culture ukrainiennes.

Cholokhov Mikhaïl Alexandrovitch.
Les œuvres littéraires de Cholokhov (1905-1984) ont été couronnées par de nombreux prix en Union soviétique et à l'étranger ; il reçut le prix Nobel de littérature en 1965 pour *Terres défrichées.* Ses premiers écrits *Récits du Don* commencèrent à paraître dans les années 20, mais c'est surtout son roman *le Don paisible,* retraçant la vie des paysans cosaques dans les années 1910-1920, qui lui valut une renommée mondiale. Cholokhov décrivit la vie du peuple à travers des personnages extrêmement vivants et variés. Dans *Terres défrichées,* il a peint les débuts de la collectivisation des terres.

Chostakovitch Dimitri Dimitrievitch.
Ce compositeur russe (1906-1975) fut l'élève de Steinberg et de Glazounov à Saint-Pétersbourg, sa ville natale. Vivement critiqué pour le côté « avant-garde » de ses premières œuvres, il adopta dans ses œuvres suivantes un style plus conforme aux canons du réalisme soviétique. À l'exception de pièces pour le piano et la musique de chambre, c'est aux grandes compositions orchestrales où se conjuguent lyrisme et puissance dramatique qu'il a voué le meilleur de son œuvre.

Collectivisation agraire.
En raison des difficultés d'approvisionnement en produits agricoles, le gouvernement soviétique déclencha, en 1929, la collectivisation de l'agriculture. Il multiplia les sovkhoses (fermes d'État), en utilisant les terres confisquées et celles qui avaient été gagnées sur le défrichement. Des centaines de milliers de koulaks (paysans riches) furent déportés ou emprisonnés, et leurs biens confisqués. Dès 1930, 58 % des terres cultivées furent collectivisées (30 000 kolkhozes). Mais la « dékoulakisation » désorganisa la production et, en dépit des progrès techniques, celle-ci ne fut, en 1939, que faiblement supérieure à celle de 1913.

Comité central.
Le Comité central du parti communiste de l'U.R.S.S. est l'organe suprême du parti. Il le dirige entre les congrès, au cours desquels il est élu. Il élit en son sein le Bureau poli-tique. Le secrétaire du Comité central est également secrétaire général du parti.

Cuirassé « Potemkine ».
Rendue célèbre par le film de Serge Eisenstein (1925), la révolte des marins du cuirassé *Potemkine* contre leurs officiers est une conséquence de la période de tensions engendrées par la défaite de la flotte russe à Port-Arthur en 1904 (guerre russo-japonaise) et les répressions de Saint-Pétersbourg en 1905. Eisenstein avait 27 ans lorsqu'il réalisa ce film qui entendait commémorer les événements révolutionnaires de l'année 1905. Certaines scènes sont entrées dans la légende, notamment celle de la fusillade de la foule par les gardes blancs, sur les escaliers d'Odessa.

Cyrille et Méthode.
Ces deux frères, nés en Grèce autour de 827, évangélisèrent les Slaves et les initièrent à la culture chrétienne. Ils traduisirent la Bible et la liturgie grecque en langue slavonne, créant une écriture dite « glagolithique », qui sera remplacée au Xe siècle par l'écriture « cyrillique ». Ces deux apôtres des Slaves furent canonisés par l'Église orthodoxe.

Dimanche rouge.
En janvier 1905, les armées russes de Mandchourie sont battues par les Japonais. Les manifestations populaires se multiplient, des grèves éclatent. Le 9 janvier 1905 (22 janvier pour notre calendrier), des milliers d'ouvriers défilent dans

CI-DESSUS : *La révolte des marins du cuirassé* Potemkine *est une des grandes pages de l'histoire révolutionnaire russe (1905). Photographie publiée par* l'Illustration.
CI-CONTRE : *Alphabet cyrillique.*

MAJUSCULES	MINUSCULES	VALEUR	MAJUSCULES	MINUSCULES	VALEUR
А	а	a	Т	т	t
Б	б	b	У	у	ou
В	в	v	Ф	ф	f
Г	г	g	Х	х	kh
Д	д	d	Ц	ц	ts
Е	е	ié, é	Ч	ч	tch
Ж	ж	j	Ш	ш	ch
З	з	z	Щ	щ	chtch
И	и	i	Ъ	ъ	e *muet*
I	i	i (dev. voy.)	Ы	ы	y (*i dur*)
К	к	k	Ь	ь	signe de mouillure de consonne
Л	л	l			
М	м	m	Ѣ	ѣ	ié, è
Н	н	n	Э	э	é
О	о	o	Ю	ю	iou
П	п	p	Я	я	ia
Р	р	r	Ѳ	ѳ	f
С	с	s	Ѵ	ѵ	i (slavon)

les rues de Saint-Pétersbourg. La police du tsar charge et ouvre le feu sur le cortège, d'où le nom de « Dimanche rouge ». Dès lors, les grèves se généralisent. Des mutineries éclatent dans l'armée (révolte du cuirassé *Potemkine* en juillet). Nicolas II promet des réformes qu'il ne réalisera pas. La révolution de 1905 aura en fait servi de « répétition » à celle qui allait suivre.

Dimitri Donskoï.
Le prince Dimitri Ivanovitch de Moscovie (1350-1389) remporta dans la plaine de Koulikovo, au bord du Don, une bataille décisive contre les Tatars (1380). La légende veut qu'il ait apporté sur le champ de bataille l'icône de la Vierge du Don (aujourd'hui exposée à la galerie Tretiakov à Moscou), attribuée à Théophane le Grec.

Dit de la campagne d'Igor.
Poème épique narrant la guerre malheureuse qu'Igor, prince de Novgorod, entreprit en 1185 contre les Polovtsiens. Au Moyen Âge, le terme « dit » désignait d'abord le contenu d'un poème (contrairement au chant), puis le poème lui-même.

Domovoï.
Bon génie du folklore russe, qui protégeait la maison et vivait près du poêle.

Dostoïevski Fedor Mikhaïlovitch.
Le plus grand romancier russe du XIXᵉ siècle (1821-1881), avec Tolstoï, produisit une œuvre considérable. Ce maître du roman psychologique connut une existence difficile. Jeune homme, il est arrêté pour agitation politique, condamné à mort, puis gracié et exilé en Sibérie. Ses déceptions sentimentales, ses problèmes financiers accentuent un caractère déjà fragile et torturé,

d'une sensibilité maladive. Toute son œuvre est marquée par les conflits moraux et physiques qui ont ponctué sa vie. Dans *Crime et Châtiment* (1866), Dostoïevski s'ouvre à la métaphysique. Dans *l'Idiot* (1868), *les Possédés* (1871), *les Frères Karamazov* (1880), il s'interroge sur la présence du bien et du mal, la nécessité de la foi, la liberté humaine. Son génie est d'avoir su traiter ces thèmes avec une extraordinaire acuité psychologique, formant une galerie de héros inoubliables.

Douma d'État.
Assemblée représentative, qui fonctionna de 1906 à 1917. Arraché au tsar sous la pression de la première révolution russe (1905-1907), ce parlement avait des droits très limités. La première Douma ayant fait une proclamation au peuple indiquant que toute réforme agraire dépendait d'elle, le gouvernement tsariste la dissout le 9 juillet 1906, deux mois à

peine après l'inauguration de ses travaux. La seconde Douma (févr.-juin 1907), refusant de lever l'immunité parlementaire des députés sociaux-démocrates sans enquête préalable, fut également dissoute. La troisième Douma (nov. 1907-juin 1912), dite « des Seigneurs » ainsi que la quatrième (nov. 1912-oct. 1917), élues selon une loi électorale qui violait des lois fondamentales de l'Empire de 1906, ne pesaient rien, en tant que pouvoir législatif, face au pouvoir exécutif fort, dépendant du tsar lui-même, et de son gouvernement, appuyé par l'armée et la police.

Dovjenko Alexandre.
Né en 1894, A. Dovjenko est le créateur du cinéma ukrainien (*Zvenigora* [1928], *Arsenal* [1929] ; *la Terre* [1930]). Il se distingue fortement de ses contemporains, chantres enthousiastes et aveugles de la civilisation urbaine, et tente

CI-CONTRE : *Le « Dimanche rouge » (22 janvier 1905). Les ouvriers des usines Poutilov manifestent devant l'arc de triomphe de Narva, à Saint-Pétersbourg.*

CI-DESSUS : *Scène de* Chtchors, *film qu'Alexandre Dovjenko consacra au fameux chef des partisans en Ukraine (1939).*

d'affirmer ses racines paysannes au service d'un art et d'un monde nouveaux. Au début des années 1930, il tombe en disgrâce. Exilé à Moscou, où il mourra en 1956, il doit à des circonstances exceptionnelles le privilège de travailler en Ukraine. Deux de ses films marquent les années 1930 : *Aerograd* (1935) et *Chtchors* (1939). En 1958, *la Terre* est nommée parmi les 12 meilleurs films à l'Exposition universelle de Bruxelles.

Eisenstein Sergueï.

Ce metteur en scène et théoricien du cinéma (1898-1948) fut l'élève de Meyerhold et travailla d'abord pour le théâtre. On lui doit l'un des chefs-d'œuvre du cinéma mondial, *le Cuirassé Potemkine* (1925), et *Octobre,* sorti en 1927. Au cours d'un long séjour à l'étranger, de 1929 à 1932, il tourna *Viva Mexico. Alexandre Nevski* (1938) est également devenu l'un des grands classiques du cinéma. Pour son dernier film, *Ivan le Terrible,* tourné après la guerre, il eut à affronter les pires entraves de la censure stalinienne. Il mourut peu après, sans avoir obtenu le visa de sortie pour la deuxième partie du film.

Eltsine Boris.

Né dans l'Oural en 1931, il fut promu secrétaire du parti à Moscou par M. Gorbatchev. En s'efforçant de traquer les corrompus et d'améliorer la vie quotidienne des Moscovites, il s'est heurté à des résistances multiples. Au cours du plénum du Comité central, en octobre 1987, une bataille s'engagea entre lui et son principal adversaire E. Ligatchev, alors numéro deux du parti. Eltsine fut limogé, mais il était ainsi forgé une réputation de champion de la perestroïka, défendant le peuple, au détriment de sa carrière. Le 26 mars 1989, les Moscovites l'ont presque unanimement élu au Congrès des députés du peuple.

Ermitage.

C'est sous Nicolas Ier que la galerie privée de Catherine II, à Saint-Pétersbourg, fut transformée en un véritable musée, qui est aujourd'hui l'un des plus beaux du monde. Il fut inauguré en 1852. La galerie de tableaux rassemblés par la Grande Catherine était déjà considérable : portraits de Rembrandt et paysages de Ruysdaël acquis en Allemagne ; tableaux de Raphaël, du Titien, de Rembrandt et de Poussin acquis en France par l'entremise de Diderot, son agent à Paris. À Paris, également, elle fit acheter la collection entière du comte de Baudouin (Rembrandt, Rubens et Van Dyck). Lors de la création du musée, Nicolas Ier acquit toute la galerie de Malmaison, puis les meilleurs tableaux de la galerie Barbarigo à Venise et quelques pièces essentielles de la vente du maréchal Soult à Paris (Murillo et Zurbarán). Les legs généreux des mécènes russes (Khitrovo, Stroganov, etc.) complétèrent ces superbes collections. De tous les trésors artistiques de l'Ermitage, l'un des plus précieux est peut-être celui des antiquités scythes. La majeure partie de ces pièces ont été découvertes dans des tumulus funéraires en Russie méridionale depuis l'occupation de la Crimée par Catherine II. Aujourd'hui, Leningrad est fière de ce palais du XVIIIe siècle dont les couleurs pastel se reflètent dans les eaux de la Neva.

Évangéliaire.

La conversion de la Russie au christianisme donne une grande impulsion à l'art du livre. Très tôt, les miniaturistes russes produisent des chefs-d'œuvre. L'un des plus anciens évangéliaires est celui d'Ostromir, exécuté à Kiev par le diacre Grégoire, à l'intention du gouverneur de Novgorod. L'évangéliaire de Iouriev a été réalisé à Novgorod.

Fête du travail.

Le 1er mai est le jour de la fête internationale des travailleurs. En U.R.S.S., cette journée ainsi que le 2 mai sont jours de fête chômés, légaux et obligatoires. De nombreux défilés ont lieu à cette occasion avec des chants et des danses. Celui de Moscou s'étend sur plusieurs kilomètres avant d'atteindre la place Rouge.

Fêtes de la Révolution.

La commémoration de la révolution d'Octobre est, par

CI-CONTRE : *Boris Eltsine, après avoir été limogé de son poste de secrétaire du parti à Moscou par les conservateurs, présente son programme électoral dans sa circonscription en 1989.*

CI-DESSUS : *La Révolution est commémorée à Moscou avec faste. Ici, le défilé militaire de novembre 1988.*

CI-CONTRE : *De gauche à droite : les cosmonautes Popovitch, Nikolaïev, Titov (caché par Nikolaïev), Terechkova, Gagarine et Bykovski.*

130

suite du décalage dû à l'ancien calendrier, célébrée le 7 novembre, journée chômée, et le 8. Les défilés de travailleurs et de komsomols succèdent aux parades de sportifs. Depuis les perestroïka, ces fêtes ont un caractère plus spontané et moins militaire.

Finift.
Nom donné à l'émail translucide russe. Des plats en finift du XVIIe siècle sont exposés au palais des Armures, au Kremlin, ainsi que d'autres pièces d'orfèvrerie témoignant de l'importance des arts somptuaires dans la Russie des XVIe et XVIIe siècles (technique du filigrane, métal coulé et guilloché, nielle et ciselure).

Fokine Michel.
Le célèbre chorégraphe russe est né en 1880 à Saint-Pétersbourg. Il entre à l'École de ballet à l'âge de neuf ans et est engagé au théâtre Marie de Saint-Pétersbourg à dix-huit ans. Très vite, il refuse la présentation scénique du « vieux ballet » et voyage en Russie et à l'étranger avec une troupe constituée par Marius Petipa. Dès ses premières chorégraphies, il révolutionne le monde clos de la danse (*le Carnaval, Schéhérazade, l'Oiseau de feu, Sadko, Petrouchka,* etc.). Une grande partie de ses créations fut reprise par les Ballets russes.

Front populaire.
Depuis la perestroïka, dans les républiques fédérées des mouvements populaires ont été créés pour défendre les intérêts des nationalités, pour lutter notamment contre les tendances à la « russification » et au centralisme. Les « fronts » les plus importants ont été constitués dans les pays Baltes.

Gagarine Iouri Alekseïevitch.
Gagarine (1934-1968) est le premier homme qui ait effectué un vol orbital dans l'espace, il fut en effet le passager du satellite « Vostok » qui, le 12 avril 1961, fit le tour de la terre en 1 heure et 48 minutes. Gagarine fit ses premiers pas dans l'aviation à l'aéroclub de Saratov. Plus tard, il étudia à l'école d'aviateurs militaires Tchkalov, et en 1957 il entra dans la flotte aérienne de chasse. Son talent et son courage en tant que pilote de chasse le firent remarquer et, en 1960, il fut sélectionné dans la première équipe de cosmonautes soviétiques. Héros de l'Union soviétique, le premier homme de l'espace mourut tragiquement dans un accident d'avion près de Vladimir, en accomplissant un vol d'entraînement.

Gengis Khan.
Le fondateur de l'Empire mongol (1155-1227) vécut une existence misérable avant de devenir, en 1205, le maître des steppes de Mongolie en triomphant des tribus nomades qui y vivaient. Il créa l'État mongol qui, en 1212, s'étendait de la Sibérie au nord de la Chine. Il conquit ensuite Pékin, le royaume de

Khorezm, la vallée de l'Indus et la plaine russe jusqu'à la Volga et la mer Noire. Si la tradition évoque Gengis Khan comme un envahisseur féroce et sanguinaire, il ne faut pas oublier qu'il fut aussi un excellent organisateur militaire, qu'il administra remarquablement les populations nomades et fut tolérant dans son empire envers les différentes religions. À sa mort, il laissait un immense empire s'étendant du Pacifique aux portes de l'Europe.

Géorgiens.
Les Géorgiens constituent 68,7 % de la population de la République fédérée de Géorgie, l'une des trois Républiques du Caucase. Leur langue appartient au groupe des langues caucasiennes du Sud.
Le géorgien est également parlé en Azerbaïdjan, au nord-est de la Turquie et dans quatorze villages de la province d'Ispahan (Iran). Les Géorgiens disposent d'une Église orthodoxe autocéphale. La République fédérée de Géorgie (4 688 000 hab.) englobe deux républiques autonomes (Abkhazie et Adjarie), et une région autonome, l'Ossétie du Sud.

Glasnost.
Ce mot russe, qui signifie « transparence », est devenu le symbole de la politique d'ouverture et de démocratisation de la vie publique mise en œuvre par Gorbatchev dans le cadre de la « perestroïka ». La glasnost touche en particulier le secteur de l'information et celui de l'expression artistique. Ainsi, de nombreux sujets auparavant tabous (drogue, corruption, criminalité), échappent-ils aujourd'hui à la censure et sont amplement traités dans les médias.

Glazounov Alexandre.
Compositeur et chef d'orchestre, il est né à Saint-Pétersbourg en 1865 et mort à Paris en 1936. Élève de Rimski-Korsakov, il composa sa première symphonie à 16 ans. Proche de Tchaïkovski et de Borodine, il s'associa à leur effort pour promouvoir la musique russe à l'étranger. Nommé directeur du Conservatoire de Saint-Pétersbourg en 1907, il garda cette fonction après la révolution de 1917. Il s'exila en 1928. Ses 5e, 6e et 8e symphonies sont les plus célèbres, ainsi que son poème symphonique *Stenka Razine*.

Gogol Nicolas.
Cet écrivain, d'origine ukrainienne (1809-1852), est le créateur du roman moderne russe. Il voyagea beaucoup et connut de graves crises morales. Ses satires du « fonctionnarisme » russe entraînèrent des réactions défavorables de la part de certains milieux pétersbourgeois. Gogol souffrit beaucoup de leurs critiques. À la fin de sa vie, l'écrivain se tourna vers l'ascétisme.
Dans son œuvre *(le Manteau, le Nez, les Âmes mortes)*, il étudie les mœurs provinciales avec un grand réalisme, renonçant aux sujets historiques et à la forme versifiée, chers à la littérature du siècle précédent.

Gorbatchev Mikhaïl Sergueïevitch.
Le secrétaire général du parti communiste, né en 1931, commença sa carrière dans la région de Stavropol. Il devint responsable de l'Agriculture en 1978. Membre du Politburo depuis 1979, il présida la commission des Affaires étrangères d'une chambre du Soviet suprême sous Tchernenko (1984) et fut élu secrétaire général du parti communiste à la mort de ce dernier. Il met en œuvre un programme de réformes économiques (« perestroïka »), qui s'accompagne d'une politique de détente à l'extérieur et d'une audacieuse ouverture démocratique à l'intérieur.

Gorki Alekseï Maximovitch Pechkov, dit Maxim Gorki.
Cet écrivain (1868-1936) est le créateur de la littérature sociale soviétique. Il dénonce, dans des romans et des drames à succès (*les Petits Bourgeois* [1901], *les Bas-Fonds* [1902]), la décomposition et les abus de pouvoir de la bourgeoisie. La révolution de 1905 lui inspire

EN HAUT : *Nicolas Gogol en 1941. Gravure d'après un portrait de son ami, le peintre Ivanov.*

CI-DESSUS : *Illustration de Sokolov pour la pièce tirée du grand roman de Gogol resté inachevé,* les Âmes mortes *(1842).*

une pièce, *les Ennemis. La Mère* (1906) est le premier roman qui met en scène des prolétaires. Après avoir été contraint à l'exil, et malgré des réticences initiales, il collabora aux institutions culturelles soviétiques, fonda des revues, élabora le concept de réalisme socialiste et organisa l'Union des écrivains (1934).

Goum.
C'est le plus important et le plus pittoresque centre commercial de l'U.R.S.S. Ses galeries commerciales (avant la Révolution, le Goum, ou « magasin d'État », s'appelait « Riady », « les Galeries »), construites tout près du Kremlin, se composent de passages parallèles sur trois étages réunis par des passerelles en fer. L'endroit, très animé, est fréquenté par des Soviétiques venus de tout le pays.

Grandes régions économiques.
La réforme générale de l'économie (1956-57) a entraîné la création de 18 grandes régions

économiques autonomes, unités destinées à favoriser l'organisation rationnelle d'une nouvelle économie décentralisée : nord-ouest de la R.S.F.S.R. (Leningrad), Centre, bassin de la Volga supérieure et de la Viatka, Terres noires, plaine de la moyenne et basse Volga, Caucase du Nord, Oural, Sibérie occidentale, Sibérie orientale, Extrême-Orient, Donets-Dniepropetrovsk, Sud-Ouest ukrainien, Ukraine méridionale et Crimée, côte ouest baltique, Transcaucasie, Kazakhstan, Asie.

Granovitaïa Palata.
Le palais à Facettes du Kremlin de Moscou est ainsi nommé à cause de la forme des pierres de la façade. Il fut construit en 1486, sous le règne d'Ivan III, par deux architectes italiens, Marco Ruffo et Petro Antonio. Ce palais fait partie des édifices du « Kremlin italien » qui succéda, à la fin du XVe siècle, au Kremlin d'origine.

Grigorovitch Iouri.
Né à Leningrad en 1927, il fit ses études à l'école du théâtre

Kirov où il devint danseur, puis chorégraphe. En 1957, il monta *la Fleur de pierre* de Prokofiev pour le ballet du Kirov. La force chorégraphique de son travail le rendit rapidement célèbre. Il créa, pour le théâtre Bolchoï, *la Fleur de pierre* et *Casse-Noisette* de Tchaïkovski, qui remportèrent un grand succès. Il monta également le ballet *Spartacus* (musique de Khatchatourian) qui fit le tour du monde.

Hertzen Alexandre.
Écrivain, révolutionnaire, philosophe et journaliste (1812-1870), il quitta la Russie en 1847, vécut en France, en Italie et fonda à Londres son célèbre journal *Kolokol* (« la Cloche »).

Horde d'or.
Royaume tatar fondé par le khan Batu au XIIIe siècle, qui englobait la Sibérie occidentale, les plaines russes, les bords de la Caspienne, le Caucase et la Crimée. La Horde d'or faisait partie de l'Empire mongol. Le khan Batu était donc un vassal du Grand Khan, qui avait sa capitale à Karakoroum.

Icône.
Cette image pieuse du Christ, de la Vierge ou des saints orne les églises d'Orient de tradition byzantine. Les icônes connaissent une vénération comparable à celle des reliques. Certaines ont une origine miraculeuse et sont fêtées à date fixe en mémoire du miracle qu'on leur attribue. Ainsi, l'icône de la Vierge de Kazan est fêtée le 8 juillet (souvenir de son apparition à Kazan en 1579) et le 22 octobre (on lui attribue la délivrance de Moscou lors du

CI-CONTRE : *Portrait de Mikhaïl Gorbatchev à Londres, en 1984, peu après son élection. Galerie Tretiakov, Moscou.*

CI-DESSUS : *Gorki avec Tchekhov, que la maladie a éloigné de Moscou (vers 1900). Bibliothèque nationale, Paris.*

CI-CONTRE : *Icône de l'Annonciation, à Veliki Oustioug, célèbre pour ses églises en bois. École de Novgorod, XIIe siècle.*

siège des Polonais en 1612). Pierre le Grand la fit transférer à Saint-Pétersbourg, où elle fut conservée à la laure Alexandre Nevski, puis à la cathédrale Notre-Dame de Kazan. Elle se trouve aujourd'hui à Moscou, à la cathédrale de l'Épiphanie. La Vierge du Don, fêtée le 19 août, appartient au type *Vierge de tendresse (oumilinié)*. Elle fut apportée par les cosaques du Don à la bataille de Koulikovo (1380) et offerte au prince Dimitri Donskoï, vainqueur des Tatars, qui la déposa à la cathédrale de la Dormition à Moscou. Lors de la campagne de Russie, en 1812, les Français voulurent dépouiller la Vierge du Don de sa garniture métallique, qu'ils croyaient en or, et l'on voit encore sur cette garniture les traces de leurs coups de hache. Devant la Vierge de Vladimir, autre icône de la cathédrale de la Dormition à Moscou, se déroulaient les couronnements des tsars et les consécrations des patriarches. Elle est fêtée le 26 août (en souvenir du raid de Tamerlan auquel Moscou aurait échappé grâce à sa protection), le 23 juin (en souvenir de la fin du joug tatar), et le 21 mai (attaque du khan de Crimée en 1521).

Iconostase.
Cette cloison séparant le sanctuaire de la nef est un élément essentiel dans la structure de l'église russe. Elle sert de présentoir aux icônes. Au centre de l'iconostase s'ouvrent les « portes saintes » (la porte centrale, dite royale, est réservée à l'usage du prêtre revêtu de ses ornements liturgiques).

Ikonopis.
Peinture d'icônes qui reproduit sur un panneau en bois des types et des thèmes religieux consacrés par la tradition. Cette peinture à la détrempe s'exerce comme un véritable sacerdoce, selon une technique immuable.

Isba.
La maisonnette en rondins de bois des paysans russes (moujiks) est composée d'une entrée et d'une pièce principale. Elle était chauffée par le poêle en briques qui occupait tout un angle de la pièce et sur lequel on dormait. L'icône (souvent enfermée dans sa petite armoire *[kiot]*) était accrochée à l'angle opposé, appelé pour cette raison « le beau coin ».

Ivanov Alexandre.
Ce peintre (1806-1856) est l'auteur d'une toile à laquelle il consacra presque toute sa vie : *l'Apparition du Christ au peuple*. Elle est exposée à la galerie Tretiakov à Moscou. Il vécut 28 ans en Italie. C'est l'un des plus grands peintres russes de l'époque romantique.

Izvestia.
Quotidien édité à Moscou, organe du Soviet des députés. Ce titre vit le jour après la révolution de 1905 et les Bolcheviks en firent leur second journal, après la *Pravda*. Depuis la perestroïka, les Izvestia se sont engagées sans réserve dans la pratique de la « transparence ».

Jdanov Andreï Alexandrovitch.
Cet homme politique (1896-1948) fut l'un des meilleurs auxiliaires de Staline. Son règne, « jdanovchtchina », est particulièrement marqué par des persécutions à l'encontre de l'intelligentsia. Parmi ses innombrables victimes figurent un grand poète, Anna Akhmatova, l'écrivain Mikhaïl Zochtchenko et le compositeur Dimitri Chostakovitch. Malgré une série d'articles publiés dans la presse soviétique, dénonçant ses crimes, son corps repose toujours au pied du mur du Kremlin. La plupart des villes et des institutions portant son nom ont été récemment rebaptisés.

Jordania Noé.
Fils de paysan de Géorgie occidentale, né en 1869, Jordania est considéré comme le père de la social-démocratie géorgienne. Son action politique se doubla d'une brillante carrière de journaliste et de publiciste. Après la révolution de février 1917, il présida le Soviet de Tiflis avant de présider le gouvernement de la Géorgie indépendante de mai 1918 à février 1921. Après la soviétisation de son pays, il s'exila à

CI-DESSUS : *Jdanov, dont aucune ville, aucune rue d'Union soviétique ne porte plus désormais le nom.*

CI-CONTRE : *Intérieur d'une isba à la fin du XVIIᵉ siècle. Gravure. Bibliothèque nationale, Paris.*

CI-DESSUS : *Nicolas Karamzine, un grand esprit du siècle des Lumières. Miniature sur émail (fin du XVIIᵉ s.).*

Paris en compagnie de ses camarades. Il y mourut en 1953 sans avoir pu peser sur le destin d'une Géorgie soumise au pouvoir de Staline, son vieil ennemi des années 1905-1917.

Karamzine Nicolas.
Écrivain et historien (1766-1826), cet adepte de la philosophie du siècle des Lumières, marqué par Rousseau, introduisit une sensibilité nouvelle dans la littérature russe de son époque. Son roman *Pauvre Liza* est un classique. Il écrivit une monumentale *Histoire de l'État russe* qui révéla à ses contemporains les traits caractéristiques de leur pays.

Kazakhs.
Les Kazakhs font partie du groupe turcophone de la famille altaïque. (La distinction entre le kazakh et le kirghiz n'a vraiment été abolie qu'à la période soviétique.) Ils habitent les immenses steppes situées entre la mer Caspienne, la mer d'Aral, la Sibérie occidentale et la Chine, territoire formant l'actuelle république du Kazakhstan.
Les Kazakhs sont des musulmans sunnites. On en compte 6 556 000, dont 5 289 000 dans leur propre république, où ils ne représentent que 36 % de la population totale.

On en trouve en Ouzbékistan (595 000), au Turkménistan (80 000), en Sibérie occidentale et au sud de la région de la Volga (518 000), et au Xinjiang (près d'un demi-million).

Kazan.
L'ancienne capitale du royaume tatar, sur la Volga. Elle fut conquise par les Russes en 1556. Pour commémorer cette victoire, Ivan le Terrible y fit bâtir une cathédrale, surmontée d'une coupole dorée, de nombreuses églises et des couvents. La ville devint un centre de commerce important avec la Sibérie. La tradition artisanale s'y poursuit encore de nos jours (cuirs de Russie). En l'honneur de la prise de Kazan, Ivan le Terrible fit également construire l'église de Basile-le-Bienheureux à Moscou.

Khrouchtchev Nikita Sergueïevitch.
Homme politique soviétique (1894-1971). Après la mort de Staline, il mène une politique de libéralisation à l'intérieur du pays et d'ouverture au monde occidental. Membre du parti bolchevique en 1918, il fit carrière dans l'appareil et devint membre du Comité central du parti communiste d'U.R.S.S. (1934), du Soviet

suprême (1937) et du Politburo (1939). En 1952, il entra au Présidium et au secrétariat du Comité central. Khrouchtchev succéda à Staline comme premier secrétaire du parti communiste d'U.R.S.S. Sa politique de « déstalinisation », sa politique étrangère de coexistence pacifique, le conflit idéologique avec le parti communiste chinois, l'insuccès de ses mesures agricoles et industrielles et son échec dans la crise de Cuba (1962) lui furent reprochés par les dirigeants soviétiques. Il dut quitter ses

fonctions en 1964. Son action, politique est aujourd'hui réévaluée positivement.

Kibitka.
Tente de feutre des peuples nomades, transportée au hasard des déplacements sur un chariot.

Kiji.
Cette petite ville de Carélie est célèbre pour son ensemble d'églises en bois. Celles de la Transfiguration et de l'Intercession, construites au XVIIIe siècle, sont d'une grande beauté au milieu de paysages lacustres et boisés.

CI-DESSUS : *De gauche à droite, Khrouchtchev et Castro en 1963.*

CI-CONTRE : *Église de la Transfiguration du Sauveur à Kiji, merveille de l'architecture en bois.*

Kirghiz.

Peuple de langue turque, de la famille altaïque, les Kirghiz sont d'origine turco-mongole. Ils vivent principalement en U.R.S.S. (République de Kirghizie en Asie centrale, où ils sont 1 900 000) et en Chine (100 000). On trouve également quelques communautés en Afghanistan, au Pakistan et en Mongolie. Ils sont minoritaires en Kirghizie (48 % de la population alors que les Russes représentent 26 % et les Ouzbeks 12 %). Les Kirghiz sont de religion musulmane.

Kirov Sergueï Miropovitch. Ce dirigeant soviétique (1886-1934), premier secrétaire du parti à Leningrad dès 1926, très populaire parmi les ouvriers de la ville, fut membre du Politburo les quatre dernières années de sa vie. Il fut assassiné le 1er décembre 1934 à Smolny. Ce meurtre, commandé par Staline, déclencha une chasse aux « ennemis du peuple », qui conduisit des millions d'innocents aux camps de concentration en 1937-38. Plusieurs villes en U.R.S.S. portent son nom : Kirovobad en Azerbaïdjan, Kirovakan en Arménie, un Kirovograd en Ukraine et un autre en R.S.F.S.R., Kirovsk dans

les régions de Leningrad, de Mourmansk et en Ukraine, ainsi que plusieurs villages, usines et kolkhozes (Kirov, Kirovo, Kirovski, etc.).

Kniaz.

Ce mot slave signifie prince. Les chefs de certaines tribus de Slaves orientaux portaient, au IXe siècle, le titre de kniaz. Dans la Russie de Kiev, puis dans celle de Vladimir et de Moscou, les grands princes *(veliki kniaz)* gouvernaient avec les autres princes de la famille. Entre 1721 et 1917, le titre de kniaz fut décerné aux militaires et civils qui avaient accompli des services exceptionnels.

Kolkhoze.

Cette exploitation agricole, fondée sur la propriété collective des moyens de production, apparaît en U.R.S.S. dans les années 1918-1920. À partir de 1930, la collectivisation des terres et des moyens de production fait du kolkhoze la principale forme d'organisation collective du travail agricole. À l'exception de la terre, pro-

priété de l'État, les autres moyens de production sont la propriété indivise des membres de la ferme collective. Depuis 1966, les kolkhoziens sont assurés de recevoir un salaire minimum garanti auquel s'ajoute une rémunération versée en fonction des résultats finaux. Le paysan kolkhozien peut exploiter un lopin individuel.

Koriaki.

La région des Koriaki s'étend, en Extrême-Orient, entre la mer de Béring et la mer de Sibérie orientale. La proximité du Japon et des États-Unis en fait, politiquement et économiquement, l'une des régions les plus importantes de l'Asie septentrionale. Le pays koriake est très riche en poissons, en rennes, en animaux à fourrure, en or et en pétrole.

Koulak.

À la fin du XIXe siècle et au début du XXe siècle, le koulak était le paysan enrichi qui avait racheté la terre des nobles au lendemain de la réforme de 1861. Bénéficiaires de la NEP (nouvelle politique

économique) après la révolution, faisant souvent office d'usuriers des campagnes, ces koulaks furent les principales victimes de la collectivisation. Le nouveau pouvoir, qui se recommandait du socialisme, ne pouvait en effet tolérer cet « individualisme agraire ». Ils furent dépossédés de leurs terres, déportés et exécutés par centaines de milliers à partir de 1930-31.

Kourganes.

Ces tumulus apparaissent à la fin du néolithique dans la partie méridionale de la Russie et se rencontrent jusqu'au Xe siècle. Des groupes ethniques très divers avaient coutume d'enterrer les membres ordinaires du clan dans des fosses peu profondes où l'on déposait les objets de « première nécessité » (vases, couteaux, etc.). Les tombes des chefs étaient de vastes salles où l'on enterrait le mort avec ses femmes, ses serviteurs et ses chevaux, des armes richement ornées, des ustensiles, des objets d'or et d'argent. Au-dessus de la tombe, on élevait un tumulus,

CI-DESSUS : *Le meurtre de Kirov marqua le début de vingt années de répression stalinienne.*
CI-CONTRE : *Kolkhoze en Ukraine. La moissonneuse-batteuse symbolisait les succès du machinisme agricole soviétique.*

ou kourgane. Celui de Tchertomlyk (IVe siècle avant notre ère) est le plus haut tumulus des Scythes (20 m au-dessus du sol). Parmi les plus anciens tumulus se trouvent six grands kourganes du VIe siècle av. J.-C., découverts dans le Caucase du Nord. Quoique déjà pillés dans l'Antiquité, ces kourganes ont fourni de précieux objets dont un certain nombre est exposé au musée de l'Ermitage à Leningrad.

Koutouzov Mikhaïl.
Ancien compagnon du général Souvorov dans la guerre contre les Turcs, le général Koutouzov (1745-1813) avait 67 ans lorsqu'il affronta les armées de Napoléon, en 1812, au village de Borodino, à 120 kilomètres à l'ouest de Moscou. Au cours de cette terrible bataille, 60 000 soldats et officiers français furent tués. Napoléon devait dire plus tard que Borodino fut la plus dure bataille qu'il eut jamais à livrer. Après de rudes combats, Koutouzov abandonna le champ de bataille et Napoléon entra dans un Moscou déserté par ses habitants. Après 35 jours, les Français quittèrent Moscou et retournèrent sur leurs pas, harcelés par l'armée du général et l'hiver russe. On peut visiter aujourd'hui, à Borodino, l'isba de Koutouzov, près de l'arc de triomphe commémorant la bataille. Considéré comme le sauveur de la Russie, Koutouzov fut fait prince de Smolensk en 1812.

Kratki kours.
Ce *Précis de l'histoire du* PCS (Parti communiste d'U.R.S.S.) fut rédigé dans les années 30 avec la participation de Staline. Massivement édité et reproduit (citations, extraits, traductions en langues étrangères, y compris en français), ce manifeste idéologique, transformant et défigurant le passé, a servi, pendant des décennies, à éduquer non seulement les communistes soviétiques ou étrangers mais aussi tous les citoyens de l'U.R.S.S. Son héritage s'efface seulement avec la perestroïka. Khrouchtchev en 1959, puis Brejnev, l'avaient déjà sensiblement modifié pour légitimer leur propre politique.

Kroupskaïa Nadejda Konstantinova.
La femme de Lénine (1869-1939) fut aussi sa plus proche collaboratrice. Après 1917, elle participa à l'organisation du système d'éducation soviétique. Dans les années 20, elle s'occupa tout particulièrement des orphelinats et des écoles primaires. Membre de l'Académie pédagogique, auteur d'un grand nombre d'écrits en matière d'éducation communiste, elle est enterrée au pied du Kremlin. Un des plus grands instituts pédagogiques à Moscou porte son nom. Elle était hostile à Staline et très préoccupée par le tournant politique pris par la dictature après la disparition de Lénine.

Krylov Ivan Andreievitch.
La parution en 1809 du premier volume de fables de Krylov (1769-1844) lui valut aussitôt une célébrité qui ne s'est jamais démentie depuis. C'est le fabuliste le plus populaire du pays. Il comprit et exprima les sentiments du peuple tout entier. Krylov a complété les lacunes d'une éducation sommaire en étudiant par lui-même, en particulier les langues anglaise et française, dont il traduisit certains ouvrages. Ses premiers écrits furent des lettres satiriques dénonçant les tares de la société. Ces satires déplurent à Catherine II, qui lui interdit de poursuivre son travail journalistique ; il s'exila alors en province durant plusieurs années. Bien que Krylov ait été un admirateur de La Fontaine, les fables qu'il écrivit principalement entre 1810 et 1820 se distinguent par leur originalité et leur bon sens populaire.

Laure.
Dans l'Orient chrétien, le rang le plus élevé dans la hiérarchie des monastères. Les plus connues sont la laure des Catacombes de Kiev, la laure de la Trinité-Saint-Serge et la laure de Saint-Alexandre-Nevski.

Lénine Vladimir Ilitch Oulianov, dit Lénine.
Homme politique russe (1870-1924). Théoricien, stratège et tacticien de la première révolution socialiste. Contraint à l'exil, il s'installe à Genève en 1900. Il y crée le premier

CI-DESSUS : *Entrée des Français à Moscou le 14 septembre 1812. Gravure. Bibliothèque nationale, Paris.*

CI-DESSUS : *Nadejda Kroupskaïa, la femme de Lénine, qui ne put empêcher l'ascension de Staline.*
CI-CONTRE : *Lénine le 7 novembre 1919, lors du deuxième anniversaire de la révolution d'Octobre.*

journal marxiste russe *Iskra* (*l'Étincelle*).

Dès 1902, il formule sa première théorie d'un parti communiste, de son organisation et de son rôle d'élément directeur dans le combat politique révolutionnaire du prolétariat. Hostile aux mencheviks, alliés de la bourgeoisie, il crée en 1912 le parti bolchevik et son journal, la *Pravda*.

Après la révolution de février 1917, il expose son programme de lutte pour le passage de la révolution démocratique à la révolution socialiste (*Thèses d'avril*) et la théorie marxiste de l'État et de la dictature du prolétariat (*l'État et la Révolution*, 1917). Organisateur de l'insurrection des forces révolutionnaires (octobre 1917), il est élu président du Conseil des commissaires du peuple.

À partir de 1918, sa santé, affaiblie à la suite d'un attentat, l'oblige à réduire ses activités. Il meurt en 1924, paralysé et privé de l'usage de la parole.

Levitan Isaac Ilitch.
Levitan (1860-1900) est le grand maître du paysage russe, qu'il a peint dans toute sa variété et sa beauté. Après avoir étudié la peinture et la sculpture à Moscou, il travaille en Crimée, puis à l'étranger, en Finlande, Italie, France et Suisse. Levitan représente la nature à la manière des impressionnistes ; le paysage est perçu à travers le regard de l'homme et trahit les émotions du spectateur. À la fin de sa vie, ses tableaux semblent l'incarnation même de la nature russe, remarquables par leur transparence et leur luminosité.

Lobatchevski Nikolaï.
Ce mathématicien russe (1792-1856) est le fondateur de la géométrie non-euclidienne que Klein appellera hyperbolique.

Lomonossov Mikhaïl Vassilievitch.
Écrivain et physicien russe (1711-1765), il a laissé d'importants travaux théoriques sur la nature de l'air, la matière, l'électricité. Il réforma la lan-

gue littéraire en distinguant trois styles : le style noble, le style moyen, plus familier, et le style vulgaire, qui admet des expressions populaires. Il fut pour les Russes, comme dit Pouchkine, « la première université ».

Loubok.
Ces « icônes de papier » remontent au XVIIe siècle. Elles étaient destinées à orner les isbas (maisons paysannes) et les églises de campagne. Les techniques de la gravure sur cuivre permettront aux artistes populaires de produire des gravures plus riches en couleurs et d'emprunter les motifs des contes populaires. Au début du XXe siècle, de grands artistes comme Bilibine, Kandinski, Malevitch et Chagall se réclameront de cette tradition populaire.

Maïakovski Vladimir Vladimirovitch.
Poète (1893-1930), auteur de théâtre de grand talent, il s'enflamma en 1917 pour la révolution, qu'il considérait comme une libération et un épanouissement de l'individu. Il devint pour elle un poète de propagande très populaire. Son œuvre révèle une haine viscérale de l'univers bourgeois (*Vladimir Maïakovski*, *la Flûte-colonne vertébrale*, *l'Homme*). Il se

suicida, déçu sans doute par la lente évolution de la révolution, et après des déboires personnels.

Mamaï.
Ce chef tatar s'opposa au prince Dimitri à la bataille de Koulikovo (1380). Après plus d'un siècle d'asservissement, les princes russes montraient de nombreux signes d'insoumission. Le khan Mamaï décida d'écraser ces tentatives de rébellion. Il affronta donc le prince Dimitri dans une terrible bataille, d'où ce dernier sortit vainqueur, devenant Dimitri Donskoï, « le héros du Don ».

Mandelstam Ossip Emilievitch.
L'œuvre poétique de Mandelstam (1892-1930) comprend peu de recueils, mais la densité de ceux-ci, leur sobriété et leur musicalité leur confèrent un ton unique. Ses premiers poèmes reflètent la tendance acméiste, dont il est le principal représentant avec Anna Akhmatova —, qui s'oppose au symbolisme mystique de l'époque. L'immense culture de Mandelstam puise à toutes les sources de la culture mondiale. À partir de 1930, il s'oppose au régime soviétique et écrit un poème satirique sur Staline qui lui vaut l'exil dans l'Oural,

CI-DESSUS : *Jour d'automne à okolniki*, peinture, par Isaac levitan (1879). Galerie Tretiakov, Moscou.

CI-CONTRE : *Les œuvres de Mikhaïl Lomonossov publiées de son vivant ainsi que la première édition du* (Voyage de Saint-Pétersbourg à Moscou, *de Raditchtchev*).

138

puis à Voronej, où il vit avec sa femme. Revenu à Moscou en 1937, il est de nouveau arrêté et envoyé dans un camp à Vladivostok, où il meurt de faim et d'épuisement. Sa femme Nadejda a écrit deux livres de souvenirs sur sa vie.

Manège.
L'un des plus grands bâtiments construits à Moscou après l'incendie de 1812. Il commémore la victoire des armées russes sur Napoléon, illustrée par les attributs militaires ornant sa façade. Son architecture audacieuse est due à l'ingénieur français Augustin Bétancourt. Initialement prévu pour les exercices et revues militaires, le Manège servait également aux concerts et aux expositions. Berlioz y dirigea un concert le 27 décembre 1867. Le Manège est aujourd'hui une salle d'expositions.

Marché kolkhozien.
Il compense l'insuffisance du système de distribution soviétique. Les marchés kolkhoziens proposent des produits (fruits, légumes) parfois introuvables dans les magasins d'État, à un prix très élevé. Ils assurent aux paysans des revenus appréciables. Les marchés sont réguliers, quotidiens dans les grandes villes. Le kolkhozien arrive par car, train ou avion avec quelques kilos de produits alimentaires qu'il vendra pour son propre compte.

Mausolée de Lénine.
Le tombeau de Lénine fut construit par l'architecte Chtchoussev en 1930, au centre de la place Rouge, à l'emplacement d'un premier mausolée de bois qui datait de la mort de Lénine. L'architecte s'inspira des monuments funéraires de la voie Appienne et des pyramides d'Égypte. Au-dessus du portail d'entrée, un bloc de pierre noire porte l'inscription « Lénine », en granite rouge. Des deux côtés de l'entrée, où se tient une garde d'honneur jour et nuit, des escaliers mènent à une tribune où les chefs du parti et de l'État paraissent les jours de fête. La relève de la garde a lieu toutes les heures, au carillon de l'horloge du Kremlin. Depuis sa construction, le mausolée a reçu plus de 80 millions de visiteurs. Derrière le monument, au pied des murs du Kremlin, une rangée de bustes surmonte les tombes des grands chefs de l'État.

Mendeleïev Dimitri.
Précurseur de la chimie moderne, Mendeleïev (1834-1907) fut professeur à l'université de Saint-Pétersbourg. En 1869, il élabore le premier tableau des corps simples dressé selon la loi périodique (inventaire des corps chimiques avec leur formule, leur densité, leur poids atomique, etc.).

Métro.
Le métro de Moscou est le plus rapide du monde. Il comprend 115 stations réparties sur 184 kilomètres et transporte en moyenne cinq millions de passagers par jour. Certaines de ses stations sont somptueuses : Lénine-Arbatskaïa, Pouchkinskaïa, Lermontovskaïa et Maïakovskaïa, en particulier. Revêtues de marbre et de mosaïques, elles illustrent l'art « glorieux » de la période stalinienne.

Minine et Pojarski.
Le premier était un bourgeois de Nijni-Novgorod (aujourd'hui Gorki) et le second un prince de Souzdal. Ensemble, en 1612, ils sauvèrent la Russie livrée aux Polonais après la mort du tsar Fiodor, resté sans successeur. Les deux héros firent monter sur le trône le boyard Romanov, fondateur de la dynastie. En 1815, après l'invasion de la Russie par Napoléon, un monument fut élevé à Minine et Pojarski sur la place Rouge.

Mordves.
Les Mordves appartiennent au groupe volgaïque de la famille ouralienne (ou finno-ougrienne), famille qui constitue

CI-DESSUS : *Maïakovski, jeune poète de génie, qui s'identifie à la Révolution et proclame : « La vieillerie, on lui mouchera le nez ! »*

CI-CONTRE : *La station de métro* Révolution, *à Moscou, près du Kremlin.*

2 % de la population soviétique et qui comprend les Estoniens, les Caréliens et quelques peuples de la Volga.
Les Mordves sont dispersés à travers l'U.R.S.S. Ils disposent cependant d'une république autonome séparée de la Tatarie par la république des Tchouvaches. Les Mordves sont au nombre de 1 192 000 dont 339 000 seulement vivent dans la république.

Mosquées.
Il y en a 146 ouvertes en Asie centrale et 200 pour toute l'U.R.S.S. Ufa est le centre des musulmans d'Europe et de Sibérie. Tachkent regroupe les sunnites d'Asie centrale et Bakou les chiites d'Azerbaïdjan. Parmi les plus belles mosquées d'Asie centrale, il y avait la Grande Mosquée de Timour à Samarkand, mais elle a été détruite. En revanche, la mosquée de Bibi Khanum, qui date du début du XVᵉ siècle, est en cours de rénovation. À Boukhara, on peut visiter les mosquées de Bala-Haouz et de Magoki-Attari, ainsi que le minaret Kalan (XIIᵉ siècle), relié à la grande mosquée Kalian. À Khiva, la mosquée Djouma remonte au Xᵉ siècle (elle a été reconstruite au XVIIIᵉ siècle).

Moussorgski Modest Petrovitch.
Ce compositeur russe (1839-1881), membre du « groupe des cinq », quitta la carrière militaire pour se consacrer à la composition. L'abolition du servage entraîna sa ruine. Aigri par l'insuccès, il sombra dans l'alcoolisme. Son œuvre est le reflet de l'âme russe, romantique et tourmentée. Elle comprend des mélodies : *Années juvéniles* (1857-1866), *la Chambre d'enfants* (1868-1872) ; des œuvres chorales : *Œdipe* (1858), *le Roi Saul* (1863) ; des œuvres symphoniques : *Une nuit sur le mont Chauve* (1867), dont la version définitive est de Rimski-Korsakov. Il est avant tout le compositeur de l'opéra *Boris Godounov*.

Nationalités.
L'U.R.S.S. est un État multinational. La population, l'économie et la vie politique sont étroitement liées à la distribution et aux caractères des « nationalités », dont le nombre dépasse 120. Certaines sont très peu importantes, se réduisant à des tribus de quelques centaines de ressortissants, comme dans le Grand Nord et dans le Caucase. Le groupe slave est largement majoritaire par rapport à l'ensemble des autres nationalités (environ 55 %).
La structure administrative soviétique tient compte de la répartition de ces nationalités. L'Union est divisée en 15 républiques fédérées, peuplées d'une population majoritaire qui donne son nom à la république. La politique des nationalités mise en place par Staline ainsi que les déplacements de populations imposés au début de la guerre sont à l'origine des affrontements en Transcaucasie et en Asie centrale.

Nicolas II Alexandrovitch.
Le dernier empereur de Russie, né en 1868, régna de 1894 à 1917. À l'intérieur du pays, il considéra la défense de ses droits d'autocrate comme un devoir moral et religieux, tandis qu'à l'extérieur il poursuivit la politique européenne de ses prédécesseurs. Contraint d'abdiquer au lendemain de la révolution de février 1917, il fut arrêté puis exécuté avec tous les siens le 17 juillet 1918.

Nijinski Vaslav.
Né à Kiev en 1889 et mort à Londres en 1950, le célèbre danseur et chorégraphe russe débuta au théâtre Marie de Saint-Pétersbourg, qu'il quitta pour s'associer à la troupe des Ballets russes créée par Diaghilev. Il interpréta les grands rôles des ballets réglés par Michel Fokine (*Petrouchka, les Nuits égyptiennes, Chopiniana, le Spectre de la rose*, etc.). Chorégraphe lui-même, il créa à Paris *le Sacre du printemps*, ainsi que *l'Après-midi d'un faune* et

CI-DESSUS : *Tadjik à Samarkand ; les nationalités sont diverses.*

CI-CONTRE : *Mosquée Bala-Haouz à Boukhara (début du XVIIIᵉ s.).*

CI-DESSUS : *Vaslav Nijinski, dieu de la danse.*

Jeux de Debussy. Il fut un danseur et un artiste exceptionnel.

Nijni-Novgorod.
Cette ville de la Volga, rebaptisée Gorki, occupa une position centrale en Russie d'Europe. Bénéficiant de la proximité des mines de l'Oural et du réseau fluvial fourni par la Volga et l'Oka, elle joua très tôt un rôle industriel et commercial considérable. À partir de 1817, sa foire annuelle (du 1er juillet au 1er août) la rendit célèbre. Les marchands venus de tous les pays d'Europe y trouvaient les produits de la Chine, de la Perse, de l'Arménie, de Boukhara et de l'Inde. Aujourd'hui, Gorki est célèbre pour ses usines automobiles.

Novodievitchi.
Le « couvent des Vierges » de Moscou a été fondé au XVIe siècle. Il doit peut-être son nom à l'icône de la Vierge de Smolensk, qu'il abrita un temps, ou à l'ancien « champ des Vierges » sur lequel il est bâti, lieu où les khans tatars, au Moyen Âge, exigeaient des princes russes un tribut annuel en argent et en vierges nubiles. Le couvent fut construit en 1524 par le tsar Vassili après la prise de Smolensk, d'où le nom de sa cathédrale, Notre-Dame-de-Smolensk. L'endroit est riche en souvenirs historiques : Boris Godounov s'y fit proclamer tsar en 1598 ; Simon Ouchakov, maître de la première moitié du XVIIe siècle, y peignit plusieurs icônes ; c'est dans ces murs que Pierre le Grand envoya sa sœur Sophie après la révolte des streltsy. Au XVIIe siècle, le monastère devint l'un des plus riches de Russie, comptant jusqu'à 15 000 serfs. À l'extérieur du monastère, un cimetière rassemble les tombes de Gogol, Tchekhov, Maïakovski, Prokofiev, Eisenstein, Khrouchtchev...

Obélisque de l'espace.
Construit à Moscou en l'honneur de la conquête de l'espace, l'obélisque de titane posé sur un stylobate de granite s'élance vers le ciel (100 m de hauteur).

Octobre 1917.
Après les défaites de la guerre en 1915, la dynastie se retrouve impuissante et discréditée. Le mécontentement grandit et les manifestations populaires se multiplient, d'autant plus que les difficultés de ravitaillement sont considérables. Le 12 mars 1917 (27 février pour l'ancien calendrier russe), le gouvernement tombe. Deux pouvoirs de fait se constituent : le Comité exécutif de la Douma et le « Soviet des ouvriers et des soldats ». La monarchie est suspendue. Un gouvernement provisoire « bourgeois » est formé (14 mars), dirigé par un modéré, le prince Lvov. Celui-ci perd progressivement son autorité malgré plusieurs remaniements, pendant que l'influence des bolcheviks grandit dans les Soviets. Le 7 novembre (24 octobre), les troupes ralliées à la révolution et les gardes rouges occupent les points vitaux de la capitale. Le IIe Congrès des Soviets, où les bolcheviks ont la majorité absolue, décide de prendre le pouvoir. Le nouveau gouvernement prend le nom de Conseil des commissaires du peuple et est présidé par Lénine. Un nouveau régime est né.

Opritchnina.
Pour mater les boyards de sang, Ivan le Terrible créa un État dans l'État nommé opritchnina, gouverné par ses gens et protégé par des mercenaires. Ceux-ci, vêtus de noir, attachaient à la selle de leur cheval une tête de chien et un balai, symboles de leur zèle impitoyable au service du tsar.

Organisations de masse.
Les organisations sociales sont, comme l'administration, placées sous la direction du parti communiste, mais leurs structures et leurs méthodes d'action sont différentes. Selon la définition soviétique, ce sont des « unions de citoyens soviétiques créées conformément à leurs intérêts par leur volonté, sur la base d'une adhésion volontaire et de l'autonomie de gestion, en vue de développer leur initiative et leur activité, orientées vers l'établissement du communisme ». Les syndicats, le Komsomol (organisation de la jeunesse communiste), les coopératives (kolkhozes, coopératives de consommation), les associations (sientifiques ; unions d'écrivains, d'artistes ; associations sportives) constituent les principaux types d'organisations sociales.

Oroujeïnaïa Palata.
Au milieu du XVIIe siècle, le palais des Armures du Kremlin, à Moscou, est le principal

CI-DESSUS : *Le croiseur* Aurore, *à l'embouchure de la Neva, donna le signal de la révolution, le 24 octobre 1917 (attaque du palais d'Hiver).*

CI-CONTRE : *Châtiment d'un boyard. Miniature de la* Vie de saint Serge. *Bibliothèque Lénine, Moscou.*

foyer artistique du pays. Les nombreux ateliers qui y travaillent sous la direction du boyard Khitrovo exécutent la plupart des commandes de la Cour ou du patriarche : icônes et portraits, livres illustrés, baldaquins, équipages, carreaux de faïence et même les jouets pour les enfants du tsar. Les artistes sont essentiellement russes, tel le célèbre Simon Ouchakov, peintre d'icônes. L'édifice actuel date du XIXᵉ siècle, époque à laquelle on y conserve les armes qui servent de modèle à la manufacture du Kremlin. Il devient le musée de la Cour, où l'on expose les objets les plus précieux, notamment de superbes pièces d'orfèvrerie russe du XVIIIᵉ siècle (vitrine des œufs de Pâques de Fabergé). On peut y admirer la collection des trônes des tsars : celui d'Ivan le Terrible revêtu d'ivoire, les trônes d'or de Boris Godounov et Michel Romanov, le trône de diamants du tsar Alexis...

Ossètes.
Les Ossètes font partie du groupe iranien de la famille indo-européenne. Leurs ancêtres étaient les Alains. La lan-

gue ossète est la lointaine descendante de la langue des Scythes et des Sarmates de l'Antiquité. Elle a par ailleurs été influencée par les langues caucasiennes non indo-européennes. Son lexique actuel a fait de nombreux emprunts au russe. On compte en tout 542 000 Ossètes qui vivent en Ossétie du Nord, république autonome de 360 000 habitants rattachée à la R.S.F.S.R., et en Ossétie du Sud, région autonome appartenant à la Géorgie.

Ostankino.
L'ancien domaine des comtes Cheremetiev abrite le musée de l'Art des artisans-serfs d'Ostankino. Dans une belle demeure de bois sont exposés de nombreux tableaux et porcelaines des XVIIᵉ et XVIIIᵉ siècles. Le théâtre d'Ostankino, avec sa troupe d'acteurs-serfs, était réputé pour son luxe et sa qualité. Le centre de télévision de Moscou et sa haute tour se sont installés dans le parc.

Oulanova Galina.
Née à Saint-Pétersbourg en 1910, elle fut l'une des plus grandes ballerines du théâtre Kirov à Leningrad. Sa grâce et

son art exceptionnel ont séduit les publics du monde entier dans son interprétation de Giselle et de Juliette. Elle fut l'inoubliable interprète d'Odette dans le Lac des cygnes et de Macha dans Casse-Noisette (Tchaïkovski). Sa contribution à l'essor de la grande tradition du ballet russe a été considérable. Elle fut l'incomparable professeur d'une génération de ballerines.

Ouzbeks.
Les Ouzbeks appartiennent au groupe turc de la famille altaïque. Ils proviennent de l'ancienne population iranienne d'Asie centrale et des tribus turques et mongoles qui envahirent cette région.
La république d'Ouzbékistan, une des cinq républiques d'Asie centrale, est peuplée à 69 % d'Ouzbeks, à 10,8 % de Russes (surtout représentés dans les villes).
Les Ouzbeks sont musulmans et les coutumes islamiques sont très suivies, y compris par les non-croyants. La richesse de leurs traditions et la force de l'islam contribuent au développement d'une forte conscience collective.

Pacte germano-soviétique.
Ce pacte de non-agression fut signé le 23 août 1939, à la suite d'une proposition d'Hitler qui cherchait à éviter une guerre sur deux fronts. Il représentait une habile manœuvre diplomatique avant l'invasion de la Pologne. La neutralité de l'Union soviétique favorisa la réalisation des projets d'Hitler dans l'Europe occidentale et lui permit de mieux préparer son dessein contre l'Union soviétique. Aujourd'hui, dans la presse soviétique, ce pacte est considéré comme criminel. Mais, à l'époque, Staline faisait croire

CI-DESSUS : *Galina Oulanova, héritière de la grande tradition du ballet classique.*
CI-CONTRE, À GAUCHE : *Oroujeïnaïa Palata, le palais des Armures, au Kremlin, fut un haut lieu de l'artisanat d'art.*
CI-CONTRE : *Ouzbeks au marché de Boukhara.*
CI-CONTRE, À DROITE : *Leonid Brejnev prononçant son discours de clôture au 25ᵉ congrès du Parti.*

au « génie » de sa diplomatie : l'Union soviétique aurait gagné deux ans de paix. Beaucoup de détails dans cette affaire restent jusqu'à présent méconnus des historiens et du public. Les pays Baltes ont demandé récemment sa condamnation.

Paix de Brest-Litovsk.
Elle fut conclue entre la Russie soviétique d'un côté, l'Allemagne, la Bulgarie, l'Autriche-Hongrie et la Turquie de l'autre, le 3 mars 1918, dans une petite ville à la frontière russo-polonaise (aujourd'hui Brest). Selon des conditions dictées par les Allemands, la Russie perdait presque un million de kilomètres carrés, notamment la Pologne, la Lituanie, une partie de la Biélorussie et de la Lettonie, l'Ukraine et d'autres territoires. Écartée de la mer Baltique, rejetée de la mer Noire, presque ramenée aux frontières de l'ancienne Moscovie, elle devait payer une contribution de 6 milliards de marks. La paix du premier État prolétarien avec un État bourgeois fut perçue par les révolutionnaires à l'intérieur et à l'extérieur du pays comme un signe de l'opportunisme de

Lénine, sacrifice de la cause de la révolution européenne à la nécessité de sauver le régime instauré en Russie. Une des clauses du traité prévoyait que les soviets s'abstiendraient désormais de toute propagande dans les empires. La révolution en Allemagne renversa le gouvernement impérial et, le 13 novembre 1918, le gouvernement soviétique annula la paix.

Parti communiste.
En 1898, le parti ouvrier social démocrate est fondé en Russie. En 1918, le P.O.S.D.R. change son nom en celui de parti communiste de Russie (bolchevik). Le parti n'a à l'origine pas d'existence constitutionnelle, n'est pas un organe du pouvoir (à la différence des Soviets, par exemple). Pourtant, dans son article 6, la Constitution de 1977 lui accorde un rôle considérable : « Il est la force qui dirige et oriente la société soviétique, c'est le noyau de son système politique, des organismes d'État et des

organisations sociales » [...] « Il définit la perspective générale du développement de la société, les orientations de la politique intérieure et étrangère de l'U.R.S.S. [...] ». Cette conception du rôle du parti communiste est aujourd'hui remise en cause en U.R.S.S.

Passeport.
Ce document est fondamental dans la vie du citoyen soviétique. Il doit en effet être présenté en de nombreuses occasions : attribution d'un emploi, d'un logement, en voyage (pour sortir du pays comme pour passer ou s'installer dans une république fédérée, séjourner à l'hôtel, etc.).

Pasternak Boris.
L'écrivain et poète (1890-1960) devint célèbre avec son recueil de poèmes *Ma sœur, la vie* (1912). Jusqu'en 1935, il publia, en U.R.S.S., son œuvre lyrique. Mais, en désaccord avec la poésie officielle, il se consacra ensuite

à la traduction de poètes étrangers. Son célèbre roman, *le Docteur Jivago,* fut publié en Italie en 1957. Un an plus tard, il reçut le prix Nobel de littérature, ce qui lui valut de vives critiques de la part de ses confrères soviétiques. « L'affaire Pasternak » marque le retour dès méthodes staliniennes dans la vie culturelle.

Pavlovsk.
Cette résidence impériale des environs de Leningrad, aujourd'hui restaurée, expose de remarquables collections de meubles, tapisseries et faïences. Le palais fut offert par Catherine II à son fils, le grand-duc Paul, en 1777. Les meilleurs architectes et artistes de l'époque y travaillèrent. Tout l'ameublement était français (tapisseries des Gobelins et porcelaines de Sèvres). Le parc s'inspire du Trianon de Versailles. Le dessin de ses allées et la beauté de ses arbres en font un lieu très romantique.

Peredelkino.
À une trentaine de kilomètres de Moscou, sur la route de Minsk, cette petite ville de datchas (villas) sert de résidence ou de villégiature aux écrivains et artistes les plus connus. Pasternak y avait sa datcha et repose dans un cimetière sur les hauteurs, en face du bourg.

Perestroïka.
Ce mot russe signifie « restructuration », « refonte ». Il est le symbole de la politique de réformes économiques mise en œuvre par M. Gorbatchev dès son arrivée au pouvoir en 1985. La perestroïka doit permettre de transformer la production soviétique, écrasée par la bureaucratie et très peu performante, en « passant des méthodes essentiellement administratives à des méthodes essentiellement économiques ». Diverses mesures sont apparues dans ce sens, avec le développement d'un secteur privé et coopératif et une autonomie croissante accordée aux entreprises.

Petchery.
Catacombes ou grottes dans lesquelles vivaient les premiers ermites. Les catacombes de la laure de Kiev (laure de Petchersk) sont célèbres. Des moines y furent inhumés pendant six siècles. Il est possible de visiter les catacombes.

Pierre Ier Alexeïevtich, dit Pierre le Grand.
Empereur de Russie de 1694 à 1725, Pierre le Grand est né à Moscou en 1672. Véritable force de la nature, passionné de progrès mais cruel, il n'eut qu'un but : la grandeur de la Russie. Son règne est caractérisé par une volonté d'européanisation de son pays. La fondation de Saint-Pétersbourg (1703) sur la Baltique, ouverture sur l'Occident, en est le symbole. Il s'entoure de conseillers étrangers, voyage à travers l'Europe, dote le pays de solides réformes administratives. Il domestique le clergé, établit une nouvelle « noblesse de service » et développe le commerce extérieur. À sa mort, en 1725, une nouvelle puissance était apparue en Europe.

Pionniers.
L'organisation des Pionniers prend en main les enfants de 10 à 15 ans, qui iront par la suite dans les rangs des Komsomols. Elle compte environ 25 millions de membres. Sans être obligatoire, cette organisation prépare l'entrée de ces enfants et adolescents dans l'univers communiste.

Plekhanov Gueorgui.
Ce théoricien du socialisme (1856-1918), philosophe et fondateur du parti social-démocrate russe, fut le chef de file des mencheviks.

CI-CONTRE : *Fresque de la laure de Petchersk, à Kiev.*

CI-DESSUS : *La divine Plissetskaïa dans* la Mort du cygne, *ballet sur musique de Saint-Saëns.*

Plissetskaïa Maïa.
Née à Moscou en 1925, elle fut l'une des grandes étoiles des ballets du théâtre du Bolchoï. Ses interprétations d'Odette (*le Lac des cygnes*), de Carmen et de Raymonda lui ont apporté une gloire internationale. Elle fut l'une des interprètes de Roland Petit, qui créa pour elle plusieurs ballets.

Pouchkine Alexandre Sergueïevitch.
Poète, dramaturge et romancier (1799-1837), il occupe une place considérable dans la littérature russe. Son œuvre, à la fois lyrique et réaliste, influença une multitude d'écrivains du monde entier. Rendu célèbre dès l'adolescence par ses poèmes, il connaît véritablement la gloire avec son roman *Eugène Onéguine* et sa grande tragédie *Boris Godounov*. En 1831, il épouse Nathalie Gontcharova et s'installe à Tsarskoïe Selo, où il écrit *la fille du capitaine*, *le Cavalier de bronze*, *la Dame de Pique*, l'*Histoire de la révolte de Pougatchev*. Sa vie mouvementée se reflète dans ses plus belles pages d'amour. Il meurt à l'âge de 38 ans, au cours d'un duel avec un Français, Georges d'Anthès. Les réactionnaires au pouvoir ne lui avaient pas pardonné la liberté de ses œuvres et ses sympathies pour le mouvement décembriste..

Pougatchev Iemelian Ivanovitch.
Ce chef cosaque (1742-1775) conduisit un mouvement insurrectionnel, promettant aux paysans l'abolition du servage, quand Catherine II développait celui-ci au profit de la noblesse. Ses premiers succès (1773) furent suivis d'une série de défaites (1774). Catherine II mit sa tête à prix ; Pougatchev fut livré par ses cosaques, transporté dans une cage en fer à Moscou et décapité le 10 janvier 1775.

Pravda.
« La Vérité », quotidien soviétique, organe central du parti communiste, est créée le 5 mai 1912 sur l'initiative des ouvriers de Saint-Pétersbourg. La *Pravda* est immédiatement prise en main par Lénine, tandis que Molotov en assure le secrétariat général. De 1913 à 1917, la *Pravda* doit changer huit fois de titre pour échapper à la censure tsariste. En octobre 1917, elle devient l'organe du Comité central du parti ouvrier social-démocrate de Russie. À la faveur de la politique de Gorbatchev, la *Pravda*, comme toute la presse, bénéficie aujourd'hui d'une plus grande autonomie.

Raskol.
Nom du « schisme » qui refusa la réforme de la liturgie imposée par le patriarche Nikon en 1654. Leur chef spirituel fut le protopope Avvakoum. Les vieux-croyants, ou *raskolniki,* sont les adeptes du schisme.

Raspoutine Grigori.
Guérisseur mystique et débauché (1872-1916), appelé à la cour de Nicolas II pour soigner le tsarévitch Alexis, le célèbre Raspoutine exerça une grande influence sur le couple impérial. Il fit écarter de la cour ceux qui lui étaient hostiles et isola les souverains de l'opinion publique tout entière. Un parent du tsar, le prince Youssoupov, l'assassina en 1916.

Républiques autonomes.
Certaines républiques fédérées se divisent en républiques autonomes, au nombre de vingt, dont seize pour la République de Russie, peuplées de groupes nationaux enclavés à l'intérieur du territoire soviétique. À un niveau administratif inférieur, il existe l'oblast, ou province autonome, de taille et de population plus réduites. Enfin, correspondant à des ethnies du Grand Nord et de la Sibérie, on trouve, dans le cadre de la République fédérée de Russie, l'okrug, « arrondissement » ou « cercle », à la fois très étendu et peu peuplé.

Républiques fédérées.
L'U.R.S.S. est divisée administrativement en 15 républiques socialistes soviétiques ayant une position périphérique et une frontière avec un pays étranger, regroupant les principaux groupes nationaux : la Russie (cap. Moscou), le Kazakhstan (Alma-Ata), l'Ukraine (Kiev), le Turkménistan (Achkhabad), l'Ouzbékistan (Tach-

CI-DESSUS : *Alexandre Pouchkine, le grand poète russe descendant du « nègre de Pierre le Grand ». Buste de Batachova (1905-1970).*

CI-CONTRE : *Photo de Raspoutine, « le moine débauché », entouré d'admiratrices.*

kent), la Biélorussie (Minsk), la Kirghizie (Frounze), le Tadjikistan (Douchanbe), l'Azerbaïdjan (Bakou), la Géorgie (Tbilissi), la Lituanie (Vilnious), la Lettonie (Riga), l'Estonie (Tallin), la Moldavie (Kichinev), l'Arménie (Erevan).

Rimski-Korsakov Nicolaï Andreïevitch.
Le compositeur russe (1844-1908), membre du « groupe des cinq », fut professeur de composition au conservatoire de Saint-Pétersbourg. Il devint le musicien le plus savant de sa génération et forma de nombreux élèves parmi lesquels Glazounov et Stravinski. Son œuvre comporte, entre autres, quinze opéras, des œuvres symphoniques, deux symphonies, de la musique de chambre, des mélodies, témoignant d'un lyrisme et d'une invention mélodique sans cesse renouvelés.

Rostropovitch Mstislav.
Violoncelliste et chef d'orchestre d'origine soviétique (Bakou, 1927), il enseigna au conservatoire de Moscou de 1956 à 1974. Caractérisées par la générosité du lyrisme, la profondeur et la noblesse de l'inspiration, ses interprétations du répertoire classique et des œuvres de musique contemporaine ont assuré sa réputation à travers le monde. Après avoir été exilé d'U.R.S.S. et déchu de la citoyenneté soviétique, il a été réintégré dans les rangs de l'Union des compositeurs soviétiques avec l'avènement de la perestroïka.

Rouble.
Il se divise en 100 kopeks. Il existe des billets de 1, 3, 5, 10, 25, 50, 100 roubles, ainsi que des pièces de 1, 2, 3, 5, 15, 20, 50 kopeks et de 1 rouble. Les pièces de 2 kopeks permettent d'utiliser le téléphone interurbain et pour 5 kopeks, quel que soit le trajet, on peut prendre le métro.

Roublev Andreï.
Ce moine du monastère de la Trinité-Saint-Serge à Zagorsk (vers 1350/1360-1430) fut un peintre de génie. Son œuvre est empreinte d'une « joie d'une pieuse tristesse ». Élève de Théophane le Grec, il est impressionné par la puissante personnalité et l'audace du langage pictural du grand maître. Il travaille d'abord à la cour du prince Iouri de Zvenigorod, fils de Dimitri Donskoï et « fils spirituel » de Serge de Radonèje, fondateur du monastère de la Trinité. Il participe à l'exécution des fresques de la cathédrale de la Dormition-dans-la-Cité à Zvenigorod. Trois icônes de la Déisis sont conservées à la galerie Tretiakov : *le Sauveur, Saint Michel et Saint Paul.* On lui confie la nouvelle décoration de la vieille cathédrale de la Dormition à Vladimir, où, avec son compagnon, Daniel Tchiorny, il peint son fameux *Jugement dernier.* Après l'incendie du couvent de la Trinité-Saint-Serge par les Tatars (1409), il décore la nouvelle cathédrale en pierre et peint l'iconostase, dont il reste un fragment, la fameuse Trinité (galerie Tretiakov), qui marque l'apogée de toute la peinture russe ancienne.

Roussalka.
On représente cette créature mythique proche de la sirène antique avec une queue de poisson. Motif décoratif de la sculpture vladimiro-souzdalienne (bas-reliefs de la cathédrale de Saint-Dimitri), c'est également l'un des motifs du bestiaire slave en général, où l'un des mythes les plus fréquents établit de mystérieuses attaches entre la femme et l'oiseau. La femme peut se métamorphoser en colombe, en cane, en oie ou en cygne. Pouchkine reprendra ces thèmes mythologiques, en particulier dans le *Conte du tsar Saltan.* Dans l'opéra de Dargomijsky, *Roussalka,* Natacha, la fille d'un meunier, devient la reine des ondines.

Sakharov Andreï Dimitrievitch.
Ce physicien et dissident soviétique, né en 1921, collabora à la mise au point de la bombe H soviétique et devint membre de l'Académie des sciences d'U.R.S.S. Il s'est signalé à l'opinion mondiale comme militant des droits de l'homme et pour l'application en U.R.S.S. des accords d'Helsinki. Il reçut le prix Nobel de la paix en 1975. En exil intérieur sous Brejnev, il fut « réhabilité » avec l'arrivée de Gorbatchev, réintégré au sein de l'Académie des sciences et joue aujourd'hui un rôle important dans la vie publique soviétique.

Saliout.
La première station orbitale habitée, Saliout 1, a été mise

CI-CONTRE : *Le compositeur Rimski-Korsakov. Manuscrit autographe du compositeur.*

CI-DESSUS : *Mstislav Rostropovitch et sa femme, Galina Vichnievskaïa, célèbre soprano.*

CI-DESSUS : *Andreï Sakharov, en 1975, année où il reçut le prix Nobel de la paix.*

au point dès 1971. Les cosmonautes étaient transportés de la Terre à Saliout par le vaisseau « Soyouz » ; en 1971, deux équipages de trois hommes habitèrent cette station. Mais le 30 juin 1971, alors que le deuxième équipage revenait sur terre, une fuite de pression accidentelle provoqua la mort des cosmonautes. Le vaisseau « Soyouz » fut alors modifié. La deuxième génération, Saliout 7, lancée en 1977, permet une exploitation beaucoup plus prolongée ; le record de vol ininterrompu a été battu par Romanenko, qui a regagné la terre le 29 décembre 1987 après 326 jours dans l'espace.

Samovar.
Récipient de métal (cuivre ou laiton) doté d'une cheminée intérieure servant à chauffer l'eau pour le thé. Le thé *(tchaï)* est la principale boisson des Russes. On le sert après ou entre les repas. Il est le symbole de l'hospitalité russe.

Samoyèdes.
Les Samoyèdes font partie de la famille ouralienne. On les divise linguistiquement en deux groupes : les Samoyèdes du Sud et les Samoyèdes du Nord. Les Samoyèdes occupent en Sibérie les régions de toundras marécageuses et les forêts du Nord. Ils sont diversement établis sur les monts de l'Altaï, les bassins de l'Ob et de l'Ienisseï. Les Samoyèdes mènent une existence nomade, entretiennent une riche littérature orale et poursuivent la pratique des rites chamanistes.

Soljenitsyne Alexandre.
Le plus grand parmi les écrivains soviétiques de l'après-guerre, né en 1918, s'inscrit dans la plus pure tradition du réalisme russe. Après 8 ans de bagne et 4 ans d'exil, Soljenitsyne écrivit sa célèbre nouvelle sur un camp stalinien, *Une journée d'Ivan Denissovitch*. En 1964, toutes ses œuvres furent interdites en Union soviétique : *le Premier Cercle* (1955-1964), roman sur le régime policier stalinien, *le Pavillon des cancéreux* (1963-1967). Prix Nobel de littérature en 1970, il fut violemment attaqué par les autorités soviétiques après la publication à l'étranger de *l'Archipel du Goulag* (1973). Arrêté en 1974, déchu de la citoyenneté soviétique et expulsé, il poursuit son œuvre aux U.S.A. Plus que des documents sur une période de l'histoire, ses écrits exaltent l'honneur, la générosité et le don de soi, et un extraordinaire optimisme de la vie.

Souvorov Alexandre.
Ce général de l'armée russe (1730-1800) est le vainqueur de la guerre contre les Turcs. Grand stratège, il sut les prendre par surprise à Ismaïl (1790), sur la mer Noire. En 1799, il se battit en Italie et en Suisse contre les armées de Napoléon. Mais la défaite de son lieutenant Korsakov à Zurich contre Masséna, en septembre 1799, le contraignit à se replier. Il regagna la Russie où il mourut peu après.

Soviet.
Assemblée de délégués élus, en Russie et en Union soviétique. Les premiers soviets de députés ouvriers s'organisent au cours des grèves de la révolution de 1905. Lors de la révolution de 1917, des soviets, ou comités, d'ouvriers, de paysans et de soldats se constituent dès février. Huit mois après, les bolcheviks transforment ces soviets en organes politiques du nouvel État socialiste. La Constitution de 1936 instaure les soviets des députés

CI-DESSUS : *Tente de Samoyèdes. Voyage par la Moscovie, par Cornelis de Bruyn,* Amsterdam 1708.
CI-CONTRE : *Alexandre Soljenitsyne arrivant en Suisse en 1974, après son expulsion.*

travailleurs, et celle de 1977 les soviets des députés du peuple. Avec la perestroïka, le rôle des assemblées de députés élus s'est renforcé.

Soviet suprême.
Du point de vue législatif, l'« organe supérieur du pouvoir d'État » de l'U.R.S.S. est le Soviet suprême, élu au suffrage universel pour quatre ans, formé de deux chambres égales en droits (le Soviet de l'Union et le Soviet des nationalités) et désignant le Présidium du Soviet suprême (remplissant collégialement les fonctions de chef de l'État) et le Conseil des ministres. La réforme de la loi électorale intervenue en 1989 modifie sensiblement son fonctionnement.

Sovkhoze.
Les sovkhozes, ou fermes d'État, sont fondés sur la propriété d'État des moyens de production, forme supérieure de la propriété socialiste. Organisés dès 1918, sur les terres expropriées, les premiers sovkhozes devaient remplir le rôle d'exploitations pilotes destinées à vulgariser le progrès et à assurer le ravitaillement des villes. Intégrés dans un système économique planifié, les sovkhozes sont contrôlés par l'administration écono-

mique. Le principe de l'autonomie comptable a été introduit et le rôle des stimulants matériels accru pour améliorer la gestion financière.

Spoutnik.
Le 4 octobre 1957, l'U.R.S.S. lance le premier satellite artificiel de l'espace : « Spoutnik », faisant ainsi entrer l'humanité dans l'ère spatiale. Le premier « Spoutnik » est une simple sphère de 58 cm de diamètre remplie d'azote et contenant deux émetteurs. La satellisation de « Spoutnik » autour de la Terre est suivie, en novembre 1957, d'une autre grande première : le lancement du premier être vivant dans l'espace, la petite chienne Laïka, qui prouva que la vie en apesanteur était possible. « Spoutnik III », lancé le 15 mai 1958, était un véritable laboratoire chargé de près d'une tonne d'instruments, destinés à fournir des informations précieuses pour résoudre les problèmes techniques de mise en orbite.

Staline Joseph Vissarionovitch Djougachvili, dit Staline (1879-1953).
Après des études au séminaire de Tbilissi, il rejoint le mouvement révolutionnaire clandestin et devient un compagnon de Lénine. Le triomphe de la

révolution, lui procure le poste de secrétaire général du Comité central en 1922. A la suite de la mort de Lénine, il élimine tous ses adversaires à la succession, les faisant se soumettre ou avouer leurs « erreurs ». Devenu le chef incontesté du parti et le maître absolu de l'U.R.S.S., il impose sa politique d'« édification du socialisme dans un seul pays ». La terreur stalinienne aurait fait plus de 10 millions de victimes. Diplomate habile, Staline obtient, à la fin de la guerre, le partage avantageux de l'Europe, et impose le régime communiste dans les pays d'Europe orientale. Il faudra attendre 3 ans après sa mort pour que Khrouchtchev dénonce le « culte de la personnalité » et les crimes de Staline. L'histoire du stalinisme est aujourd'hui condamnée sans réserves.

Stalingrad.
En juillet 1942, les armées allemandes atteignirent la ville de Stalingrad, centre industriel de la Volga. C'est là que se déroula une terrible bataille à laquelle participèrent plus de deux millions de combattants. En novembre, l'armée soviétique passa à la contre-offensive et encercla 22 divisions allemandes. L'armée du général Malinovski coupa la route aux troupes allemandes venues porter secours aux forces encerclées. Le 2 février 1943, les troupes allemandes étaient écrasées. Cette date marque un tournant dans l'histoire de la Seconde Guerre mondiale. Après la déstalinisation, la ville de Stalingrad fut rebaptisée Volgograd.

Stenka Razine.
Figure légendaire qui conduisit la révolte contre les officiers et les propriétaires terriens, en 1670-71, Stenka Razine appartenait à la branche militaire des cosaques du Don. Ce soldat valeureux avait fait plu-

CI-CONTRE : *Les délégués du front au premier congrès des Soviets, en 1917.*

CI-DESSUS : *Sovkhoze près de Moscou, en 1974.*

sieurs pèlerinages en Russie septentrionale et vu toute la misère de la paysannerie russe. Révolté par tant d'injustice, il promit aux paysans qui avaient fui le servage l'exemption de la corvée féodale. Beaucoup de ceux qui vivaient sur les terres du Don se joignirent à lui. Il dirigea alors ces milliers de serfs en bandes armées, qui dévastaient les caravanes et les vaisseaux sur les côtes de la mer Caspienne jusqu'en Iran. Le chah d'Iran envoya une armée de 4 000 hommes et une flotte de 70 navires contre lui. Mais Stenka et ses hommes triomphèrent des Persans et s'emparèrent de leur butin. Inquiet de la gloire et des succès du rebelle, le tsar Alexis envoya ses régiments qui, à leur tour, furent vaincus. Stenka Razine prit Astrakhan et remonta la Volga avec une armée de 20 000 hommes. Blessé à Simbirsk, il dut se replier sur le Don. Une terrible répression s'abattit sur ses partisans. En

1671, Stenka Razine fut lui-même capturé et conduit à Moscou pour y être décapité sur la place Rouge.

Stravinski Igor Feodorovitch. Avec ce compositeur russe (1882-1971), naturalisé français puis américain, apparaissent les tendances de la musique moderne. Son premier ballet *l'Oiseau de feu* (1910) est un succès. Installé à Paris avec la troupe des Ballets russes, il y acquiert d'emblée la célébrité avec trois œuvres remarquables : deux ballets, *Petrouchka, le Sacre du printemps,* et un opéra, *le Rossignol.* Stravinski a laissé une œuvre abondante et variée, illustrant tous les genres. Il eut une grande influence sur la musique du XXe siècle.

Sultan-Galiev Mir-Sayid. Ce collaborateur de Staline naît en 1880, sur le territoire de l'actuelle Bachkirie, dans une famille modeste. En 1895, il entre à l'école normale tatare.

C'est là qu'il rencontre pour la première fois les idées marxistes. Bibliothécaire, traducteur, il devient journaliste après la révolution de 1905. Écrivain, il publie régulièrement contes, récits et articles dans les journaux moscovites. Ce n'est qu'après la révolution d'Octobre que Sultan-Galiev s'engage aux côtés du parti bolchevique. Il y voit un outil pour la libération des masses musulmanes. Dès la fin 1917, il est un des plus proches collaborateurs de Staline. Commissaire aux Affaires musulmanes, il devient bientôt un théoricien du communisme national. Mais ses idées entrent bientôt en contradiction avec la ligne officielle. En 1923, il est le premier officiel bolchevik arrêté pour délit d'opinion. Rapidement libéré, il n'abjure pas les idées qui feront de lui le « père de la révolution tiers-mondiste ». Exclu du parti en 1927, arrêté en 1928, il est déporté dans les Solovki, où il mourra en 1939.

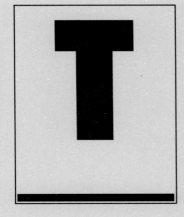

Tamerlan.
Surnommé « l'homme de fer » ou « le fléau de Dieu », Tamerlan (1336-1405) est né au sud de Samarkand dans une famille d'origine turque. Il construit un immense empire qui s'étendra jusqu'à l'Asie Mineure. Il fera de Samarkand la plus belle ville du monde et y sera enterré dans le somptueux mausolée Gur-e Mir. En juin 1941, des archéologues soviétiques ouvrirent sa tombe et sortirent le squelette du Grand Émir, dont le corps avait été embaumé avec du musc, du camphre et de l'eau de rose.

Tapis de Boukhara.
Tradition des tribus nomades du Turkestan, où le tapis servait de couche, de selle

CI-CONTRE : *Igor Stravinski, qui a fait connaître la musique russe en Occident.*

CI-DESSUS : *Reconstitution anthropologique de la tête de Tamerlan, par le professeur Guerassimov.*

et de porte, le tapis de Boukhara se distingue par son motif géométrique (le gül) et sa couleur rouge, qui va du ton « corail » au rouge « sang ». Les suzani, tentures très décoratives, sont aussi fabriquées à Boukhara.

Tarkovski André.

Ce cinéaste soviétique, né en U.R.S.S. en 1932, est mort en exil à Paris, en 1987. Il est l'auteur de *l'Enfance d'Ivan* (1962), *Andreï Roubliov* (1969), *le Miroir* (1976). *Stalker* (1980), film de science-fiction tiré du roman des Stougatski, fut son dernier film tourné en U.R.S.S. En 1983, il tourna *Nostalgia* en Italie. Ce film exprime la souffrance et le désarroi d'une génération d'artistes soviétiques contraints à l'exil. *Le Sacrifice* (1986), sa dernière œuvre, est un drame psychologique qui fut primé au Festival de Cannes de la même année.

Tatars.

Le terme Tatars s'applique abusivement aux peuples turcs qui ne vivent pas en Turquie, alors qu'il ne devrait désigner aujourd'hui que les habitants de la République de Tatarie, qui relève de la République fédérative de Russie et dont la capitale est Kazan (cours moyen de la Volga).

Les Tatars, comme les habitants des deux Républiques voisines, Bachkirs et Tchouvaches, font partie du groupe turc de la famille altaïque. Ils sont de religion musulmane. Les Tatars, au nombre de 6 317 000, sont minoritaires dans leur République ; en revanche, on en compte un million dans la République autonome de Bachkirie.

Tchaadaev Piotr.

Ce penseur russe (1794-1856) eut une certaine influence sur Pouchkine. En 1830, il publia huit *Lettres philosophiques* dénonçant le servage, dans lequel il voyait la cause principale du retard de la Russie. Ces « Lettres » provoquèrent un scandale dans l'opinion. Tchaadaev fut déclaré fou et dut se réfugier à Paris.

Tchaïkovski (Petr Ilitch).

Ce compositeur russe (1840-1893) mena de front des activités de pédagogue au Conservatoire de Moscou, de chef d'orchestre et de compositeur. Son œuvre, nourrie d'art vocal italien et de romantisme allemand, se situe en marge du mouvement nationaliste du groupe des cinq. Elle comprend des pièces pour piano, six symphonies dont la *Pathétique* (1893), des fantaisies-ouvertures *(Roméo et Juliette)*, des ballets *(le Lac des cygnes,* 1876, *la Belle au bois dormant,* 1890 ; *Casse-Noisette,* 1892, des concertos dont trois pour piano, et des opéras *(Eugène Onéguine ; la Dame de pique).*

Tchavtchavadze Ilya.

Né en Kakhétie dans l'une des familles les plus célèbres de Géorgie. Ilya Tchavtchavadze(1837-1907) reçoit l'éducation qui sied à un jeune prince. Étudiant en droit à Saint-Pétersbourg, il prête une oreille attentive aux idées libérales et révolutionnaires. Proche des idées populistes, il rêve d'une véritable libération de la paysannerie. Poète et prosateur, publiciste et journaliste, il excelle dans tous les genres. *Le Récit d'un pauvre, la Veuve d'Otar, la Mère et le Fils* ou les *Notes d'un voyageur* sont quelques-unes des œuvres les plus marquantes de la littérature géorgienne. Créateur d'une Banque de la noblesse,

organisateur de l'Association pour l'alphabétisation des Géorgiens, il acquiert bientôt la stature de père de la nation. Nommé conseiller d'État après la révolution de 1905, il est assassiné le 30 août 1907. Béatifié en 1987 par l'Église géorgienne, il symbolise aujourd'hui pour beaucoup de Géorgiens l'idée de nation.

Tchekhov Anton.

Ce dramaturge russe (1860-1904), auquel on doit des pièces qui ont été jouées sur toutes les grandes scènes du monde *(la Cerisaie, Oncle Vania, les Trois Sœurs, Ivanov, la Mouette, l'Ours,* etc.), est aussi l'auteur de nouvelles d'une merveilleuse simplicité. Ses pièces montrent la détresse morale et intellectuelle de l'homme, enlisé dans les conventions sociales, en laissant toujours ouvertes les portes du rêve. Elles furent montées de son vivant au théâtre d'Art de Stanislavski.

CI-CONTRE : *Scène de* Stalker, *film de science-fiction d'André Tarkovski.*

CI-DESSUS : *Enfants et cavaliers tatars lors de la famine de 1930.*

Sa femme, Olga Knipper, y joua les rôles principaux. Atteint de tuberculose, Tchekhov s'installa à Yalta, sur la mer Noire, en 1898. Sa maison a été transformée en musée.

Tchouktches.

La zone nationale des Tchouktches occupe la pointe nord-est de l'Asie qui fait face à l'Alaska, bordée par l'océan Arctique au nord et la mer de Béring à l'est et au sud. La « Tchoukotka » a une importance géopolitique considérable. Une longue tradition la lie à ses voisins et cousins américains, les Esquimaux. C'est une possession russe depuis la moitié du XVIIe siècle, lorsque les Cosaques pénétrèrent pour la première fois dans la région. En fait, les Américains s'intéressèrent beaucoup plus à elle, organisant la pêche à la baleine dans les eaux territoriales russes dès le milieu du XXe siècle. Après l'achat de l'Alaska par les États-Unis en 1867, les baleiniers américains étaient presque les seuls à entretenir des liens avec les Tchouktches, à tel point que, vers 1890, presque tous les Tchouktches (une dizaine de milliers) comprenaient un peu l'anglais. Entre 1902 et 1912, une compagnie américaine reçut du gouvernement russe l'autorisation d'exploiter les richesses de la Tchoukotka : l'or, le minerai de fer et le graphite. Les relations de coopération entre Tchouktches et Esquimaux de l'Alaska subsistèrent après la Révolution et furent combattues par l'administration soviétique qui, en moins de 20 ans, imposa trois alphabets esquimaux différents.

Terem.

Partie privée de la demeure des personnes de haute condition dans les palais de l'ancienne Russie. Le palais du Terem est un édifice du Kremlin dont les étages en retrait les uns par rapport aux autres rappellent les anciennes constructions de bois. Il fut construit en 1636 par le premier des Romanov, qui y installa ses appartements privés.

Termez.

Ancienne ville de « la Route de la soie » détruite en 1220 par Gengis Khan, elle se trouve en Ouzbékistan, près de la frontière afghane. Non loin de Termez, un autre site archéologique est devenu fameux : celui de Zang Tepe. Dans cette antique cité fortifiée, on a retrouvé des textes bouddhiques sur des écorces de bouleau.

Théâtre des marionnettes.

Ce bâtiment moderne qui abrite, à Moscou, le fameux théâtre créé et dirigé par Sergueï Obraztsov offre une élégante façade ornée d'une horloge fort curieuse. À midi, les petites maisons représentées sur le cadran ouvrent leurs portes et l'on voit sortir plusieurs animaux qui se mettent à danser, accompagnés par le carillon.

Théophane le Grec.

Il arrive à Novgorod vers 1370 et va marquer l'art de l'icône de son immense talent. Émigré de Constantinople, il découvre en Russie une audace et une créativité intenses. Il réalise de nombreuses décorations à Novgorod et à Moscou et s'affirme comme l'un des plus grands maîtres de la fresque de l'époque (icônes de l'iconostase de la cathédrale de l'Annonciation au Kremlin et de la Transfiguration-du-Sauveur à Novgorod). Il représente ce baroque de l'art byzantin qu'est le style « Paléologue ».

Tolstoï Léon Nicolaïevitch.

Ce romancier, conteur et auteur dramatique (1828-1910), est le géant de la littérature russe du XIXe siècle. Sa première nouvelle *Enfance,* suivie d'*Adolescence,* paraît en 1852. Avec *Jeunesse* (1855), il achève une trilogie qui le rend aussitôt célèbre. Sa puissante fresque historique *Guerre et Paix* (1863-1869) est le sommet de l'œuvre de l'écrivain. Vaste tapisserie de la vie en Russie à l'époque des guerres napoléoniennes, elle noue l'expérience individuelle à la trame impersonnelle de l'histoire. L'autre roman essentiel de Tolstoï, *Anna Karénine* (1873-1877), lui confère une gloire internationale. L'œuvre de ce moraliste utopiste est prodigieuse de vivacité, de puissance et de pénétration psychologique.

CI-CONTRE : *Scène du film de Kheifits,* la Dame au petit chien, *d'après la nouvelle de Tchekhov.*

CI-DESSUS : *Icône de la Vierge, peinte par Théophane le Grec en 1405. Cathédrale de l'Annonciation au Kremlin.*

Toungouzes.
Les Toungouzes appartiennent aux peuples de la famille altaïque. On distingue deux groupes : le groupe septentrional parlant l'evenki et le lamoute, et le groupe méridional parlant le mandchou et le nanaï. Les Toungouzes représentent un ensemble de populations venues pour la plupart d'Asie orientale et établis en Sibérie orientale. Ils occupent les territoires compris entre l'Amour, l'océan glacial Arctique et la mer d'Okhalsk ; ils sont environ 60 000. Les Toungouzes sont organisés suivant les règles des clans consanguins exogamiques, placés sous l'autorité de chefs élus. Ils sont de religion chamaniste.

Tourgueniev Ivan Sergeïevitch.
L'écrivain est né à Orel, en 1818, et mort à Bougival, en 1883. Ces deux villes symbolisent l'existence de Tourgueniev, « le plus français des écrivains russes », partagé entre sa Russie natale et la France. Il passe son enfance dans la propriété de sa mère, à Spasskoïe, où il apprend à aimer la nature et la vie paysanne, qu'il a décrites plus tard dans ses livres. Après des études et un bref travail de fonctionnaire, il se consacre à la littérature. Sa rencontre, en 1843, avec la cantatrice française Pauline Viardot, qu'il aimera toute sa vie, est déterminante. Il la suit à l'étranger de 1847 à 1850. De retour en Russie, il est exilé sur ses terres, car la censure lui reproche ses tendances libérales. La correspondance qu'il entretient à cette époque avec Pauline Viardot relate les événements politiques et culturels des deux pays. Il s'installe définitivement en France dans les années 1860. Sa propriété de Bougival devient un salon littéraire que Flaubert, un de ses grands amis, Mérimée, Zola, Delacroix, Fauré fréquentent. Il fait connaître en France les poètes et romanciers russes. Son œuvre comprend des nouvelles *(Premier Amour)*, des pièces de théâtre *(Un mois à la campagne)* et des romans *(Pères et Fils)* qui, tous, se situent en Russie.

Tovarichtch.
Ce mot russe signifie « camarade ». Dans l'étiquette soviétique, il désignait à l'origine un membre du parti. Par extension, il a pris aussi la signification de « monsieur ».

Trotski Lev Davidovitch Bronstein, dit Léon (1890-1940).
Révolutionnaire de la première heure, après la révolution d'octobre 1917, Trotski devint commissaire du peuple aux Affaires étrangères puis à la Guerre, et organisa l'Armée rouge (1918-1920). Hostile à la NEP, il préconisa la poursuite du communisme de guerre. Après la mort de Lénine (1924), il s'opposa de plus en plus fermement à Staline, notamment à sa politique d'édification du socialisme dans un seul pays. Démis de ses fonctions en 1925, exclu du parti, puis expulsé d'U.R.S.S. (1929), il mourut au Mexique, assassiné par un agent stalinien.

Tsar Kolokol.
À côté du clocher d'Ivan-le-Grand, dans l'enceinte du Kremlin de Moscou, trône la plus grosse cloche du monde, la cloche « Reine ». Elle mesure plus de cinq mètres de hauteur. On peut y loger deux cents hommes. Elle fut fondue en 1733, sous le règne de l'impératrice Anna Ivanovna. Elle était tellement lourde qu'on ne put réussir à la soulever sur l'échafaudage qui devait permettre de la suspendre ; la charpente se brisa et la cloche tomba. L'éclat qui s'en détacha est toujours dressé contre le piédestal qui porte la cloche géante. C'est à l'architecte français Montferrand (qui construisit la cathédrale Saint-Isaac à Leningrad) que l'on doit le piédestal de granite.

Tsar Pouchka.
Dans l'enceinte du Kremlin de Moscou, le « roi des canons » fait pendant à la cloche « Reine ». Il fut fondu en 1586 et on prétend qu'il est le plus gros des canons du monde (douze tonnes).

Tsarskoïe Selo.
Ce palais des environs de Leningrad est l'œuvre des deux grandes impératrices du XVIIIe siècle, Élisabeth et Catherine. Il se compose de deux parties distinctes, l'une conçue par l'architecte italien Rastrelli (auquel on doit aussi le palais d'Hiver de Leningrad), dans un somptueux style rococo, et l'autre décorée par Caméron dans le goût classique. Le

CI-DESSUS : *Portrait d'Ivan Tourgueniev, « le plus Français des écrivains russes ».*

palais construit par Élisabeth était si fastueux que les gens du peuple croyaient que son toit était en or. Catherine se fit construire des appartements intimes richement décorés, dans le style de Pompéi.

Tsiolkovski Constantin Edouardovitch.
Il fut un grand savant soviétique (1857-1935) et un inventeur dans les domaines de l'aérodynamique et de la recherche spatiale. Il est le véritable fondateur de l'astronautique actuelle. Avant la révolution, il travailla sur la théorie du déplacement des dirigeables et des avions, mais ses projets, n'étant pas reconnus officiellement, ne purent être réalisés. Dès 1896, il énonçait sa théorie sur la propulsion par réaction des fusées dans le vide. Ce n'est qu'en 1903 qu'une partie de ses articles fut publiée, il y exposait les possibilités d'application de ses recherches dans le domaine des liaisons interplanétaires. Il résolut le premier le problème du déplacement des fusées. C'est lui qui envisagea les satellites artificiels et émit l'idée des stations orbitales. Ses conditions de vie et de travail changèrent sous le régime soviétique et ses travaux furent largement utilisés pour le développement de la technique spatiale en U.R.S.S. et dans les autres pays. Tsiolkovski fut le premier théoricien de l'appropriation du cosmos par l'homme.

Tvardovski Alexandre.
Poète et homme de culture (1910-1971), il est l'auteur du grand poème *Vassili Tiorkin,* qui retrace l'épopée d'un simple soldat russe pendant la dernière guerre. Il joua un rôle important dans la vie des lettres soviétiques de 1950 à sa mort. Rédacteur en chef de la revue *Novy Mir,* de 1950 à 1954 et de 1958 à 1970, il représenta un modèle d'intégrité et d'intransigeance face au pouvoir. Son départ de la revue coïncide avec la reprise en main idéologique de la vie intellectuelle et l'émergence de la littérature dissidente (affaire Soljenitsyne).

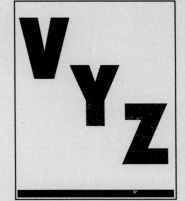

Vassiliev Vladimir.
Né à Moscou en 1940, ce danseur exceptionnel apparut sur la scène du théâtre Bolchoï en 1959, dans le rôle de Daniel dans *la Fleur de pierre* de Prokofiev. Sa virtuosité s'exprima avec une force particulière dans *Petrouchka* de Stravinski, *Casse-Noisette* de Tchaïkovski et *Spartacus* de Khatchatourian. Le prix Nijinski lui fut attribué par

CI-CONTRE : *Trotski à Londres.*

CI-DESSUS : *« Tsar Pouchka », le roi des canons, attire de nombreux admirateurs en visite au Kremlin.*
CI-CONTRE : *Vladimir Vassiliev dans* Spartacus.

l'Académie de danse de Paris, en 1964.

Veliki Oustioug.
Cette ville de Russie septentrionale, proche de Vologda, est fameuse pour ses églises en bois, chefs-d'œuvre de l'architecture traditionnelle de la région d'Arkhangelsk. Elle fut longtemps l'entrepôt des marchandises allant de Saint-Pétersbourg en Sibérie et inversement (dépôt des pelleteries, des thés et nankins importés de Chine).

Voskhod.
Voskhod est le nom d'une série de vaisseaux spatiaux multiplaces, destinés aux vols en orbite autour de la Terre. « Voskhod 1 » fut mis en orbite le 12 octobre 1964 dans le but d'expérimenter le pilotage d'un vaisseau à trois places, et les possibilités de travail et de coopération d'un groupe de cosmonautes. « Voskhod 2 » fut mis en orbite le 18 mars 1965. À son bord se trouvaient Pavel Belaev et Alekseï Leonov. Ce dernier allait devenir le premier piéton de l'espace ; en effet, au cours de la seconde révolution du vaisseau, Leonov, revêtu d'un scaphandre autonome spécial et retenu par un filin, resta 20 minutes dans l'espace, dont 12 minutes en vol libre, s'éloignant parfois du vaisseau jusqu'à 5 mètres. Le programme « Voskhod » s'arrêta après deux vols seulement.

Vostok.
« Vostok » a été le premier vaisseau de l'espace habité par un homme. Iouri Gagarine, le 12 avril 1961, effectua le premier vol dans l'espace cosmique. « Vostok 1 » fut lancé du cosmodrome de Baïkonour et exécuta un tour sur orbite. Après cet événement historique, six autres « Vostok » furent lancés entre 1961 et 1963. Ils permirent d'étudier les réactions de l'homme dans l'espace. Le 16 juin 1963, la première femme cosmonaute, Valentina Terechkova, prit place à bord de « Vostok 6 » et effectua 48 tours sur orbite.

Vroubel Mikhaïl Alexandrovitch.
L'œuvre de ce peintre (1856-1910) est très variée. Elle comprend des tableaux, des icônes, des fresques et des décors d'opéra. Vroubel a étudié l'aquarelle auprès de Repine ; il s'est nourri de la culture nationale mais aussi étrangère. Il fit de nombreux séjours en Italie et en France, où ses tableaux, *la Princesse cygne* et *le Démon,* eurent un très grand succès à l'exposition de l'art russe à Paris. À Kiev, Vroubel travailla à la restauration des fresques byzantines de l'église Saint-Cyrille. Sa peinture, à la limite du fantastique, est celle d'un symboliste visionnaire. Ses sources plongent leurs racines dans la mythologie antique mais aussi dans le conte populaire ou la poésie russe. Ses illustrations du poème *le Démon* de Lermontov sont admirables.

Yermak.
Héros cosaque allié aux Stroganov, qui franchit l'Oural avec une petite troupe en 1583 et entraîna le pouvoir russe à la conquête de la Sibérie orientale.

Yourte.
Tente de feutre montée sur un treillage, qui servait d'habitation aux peuples de la steppe, en particulier aux Kirghiz.

Zadonchtchina.
Le *Dit de la bataille du Don* est un poème héroïque qui relate la campagne contre les Tatars et grâce auquel nous connaissons le déroulement de la bataille de Koulikovo. Le *Dit de l'hécatombe de Mamaï* raconte également la terrible défaite de Mamaï.

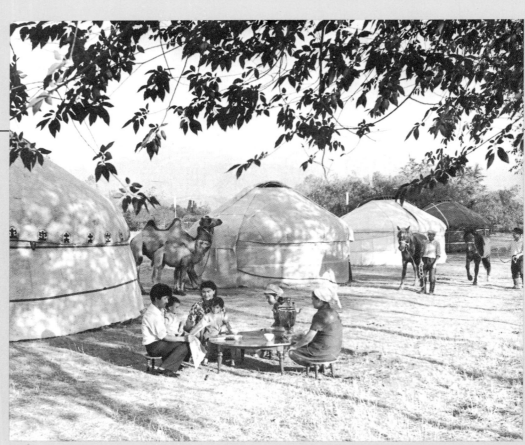

Yourte d'éleveurs de moutons et de chevaux au Kazakhstan.

index

Les chiffres en *italique* renvoient aux illustrations.

156

Photocomposition Maury-Imprimeur S.A., 45330 Malesherbes.
Photogravure Leader Graphic, Paris. Impression Amilcare Pizzi, Milan.
Dépôt légal Octobre 1989 – N° Série Editeur 15354-513161 – Octobre 1989.
IMPRIMÉ EN ITALIE (*Printed in Italy*)

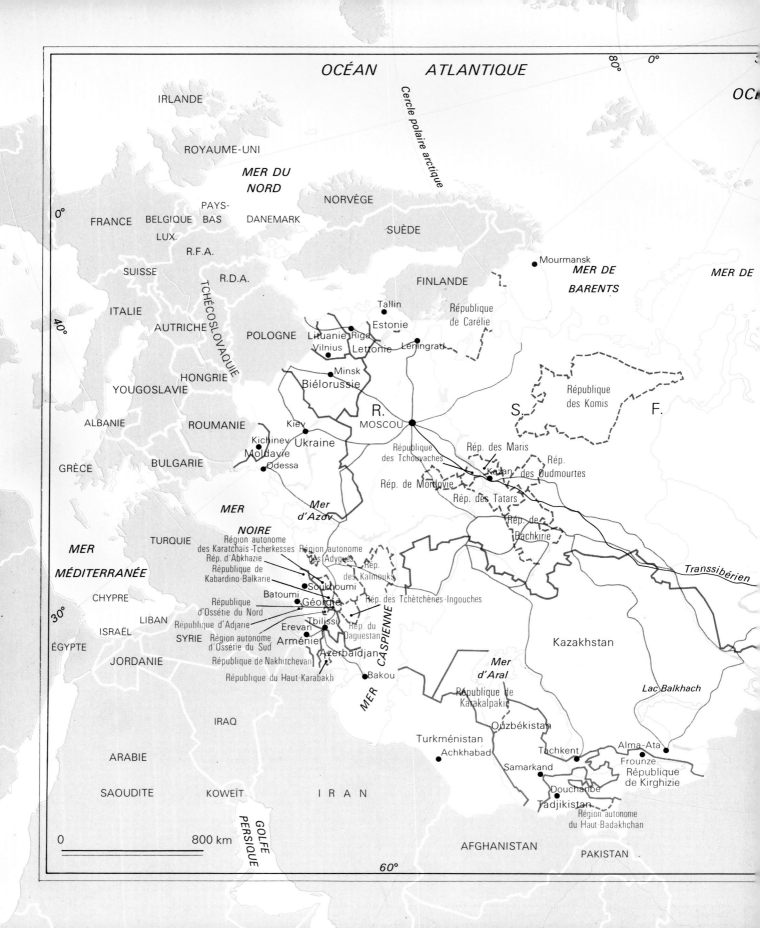